Büchner | Woyzeck

Georg Büchner

Woyzeck

Herausgegeben von Heike Wirthwein

Reclam

Der Text dieser Ausgabe ist seiten- und zeilengleich mit der Ausgabe
der Universal-Bibliothek Nr. 18420.

Zu diesem Text gibt es eine Interpretationshilfe:
Georg Büchner, *Woyzeck*.
Lektüreschlüssel XL (Nr. 15458)

E-Book-Ausgaben finden Sie auf unserer Website
unter www.reclam.de/e-book

Reclam XL | Text und Kontext | Nr. 16101
2013, 2021 Philipp Reclam jun. Verlag GmbH,
Siemensstraße 32, 71254 Ditzingen
Durchgesehene Ausgabe 2021

Textausgaben mit Genehmigung der
Akademie der Wissenschaften und Literatur, Mainz

Druck und Bindung: Eberl & Koesel GmbH & Co. KG,
Am Buchweg 1, 87452 Altusried-Krugzell
Printed in Germany 2021
RECLAM ist eine eingetragene Marke
der Philipp Reclam jun. GmbH & Co. KG, Stuttgart
ISBN 978-3-15-016101-2

Auch als E-Book erhältlich

www.reclam.de

Die Reihe bietet neben dem Text Worterläuterungen in Form
von Fußnoten und Sacherläuterungen in Form von Anmerkun-
gen im Anhang, auf die am Rand mit Pfeilen (↗) verwiesen
wird. Quellen im Anhang werden mit dem Zeichen **Q** kennt-
lich gemacht.

Inhalt

Woyzeck

Personen

Franz Woyzeck
Marie Zickwolf
Christian, ihr Kind,
5   etwa einjährig
Hauptmann
Doctor
Tambourmajor
Unterofficier
10 Andres
Margreth
Marktschreier, Ausrufer
    einer Bude
Alter Mann
15 Tanzendes Kind
Erster Handwerksbursch
Zweiter Handwerksbursch
Narr Karl
Der Jude
20 Großmutter
Erstes Kind
Zweites Kind
Erste Person
Zweite Person
25 Wirt
Käthe
Gerichtsdiener
Barbier
Arzt
30 Richter
Polizeidiener

Soldaten, Handwerksburschen, Leute, Mädchen
und Kinder

1. Szene

⟨= H 4,1⟩

Freies Feld. Die Stadt in der Ferne.

Woyzeck und Andres schneiden Stöcke im Gebüsch.

5 WOYZECK. Ja Andres; den Streif da über das Gras hin, da
rollt abends der Kopf, es hob ihn einmal einer auf, er
meint es wär' ein Igel. Drei Tag und drei Nächt und er
lag auf den Hobelspänen (leise) Andres, das waren die
Freimaurer, ich hab's, die Freimaurer, still!

10 ANDRES (singt).
Saßen dort zwei Hasen
Fraßen ab das grüne, grüne Gras
WOYZECK. Still! Es geht was!
ANDRES.
15 Fraßen ab das grüne, grüne Gras
Bis auf den Rasen.
WOYZECK. Es geht hinter mir, unter mir (stampft auf den
Boden) hohl, hörst du? Alles hohl da unten. Die Frei-
maurer!
20 ANDRES. Ich fürcht mich.
WOYZECK. 's ist so kurios still. Man möcht' den Atem
halten. Andres!
ANDRES. Was?
WOYZECK. Red was! (Starrt in die Gegend.) Andres! Wie
25 hell! Ein Feuer fährt um den Himmel und ein Getös
herunter wie Posaunen. Wie's heraufzieht! Fort. Sieh
nicht hinter dich (reißt ihn ins Gebüsch).
ANDRES. (nach einer Pause) Woyzeck! hörst du's noch?
WOYZECK. Still, alles still, als wär die Welt tot.
30 ANDRES. Hörst du? Sie trommeln drin. Wir müssen fort.

8 **auf den Hobelspänen:** im Sarg; vgl. Fußn. zu 31,28 | 9 **Freimaurer:** Geheimbund.
Vgl. Anm. zu 9,9 | 30 **trommeln drin:** Zapfenstreich; Signal, das die Soldaten abends in
die Quartiere ruft

2. Szene
⟨= H 4,2⟩

Marie (mit ihrem Kind am Fenster). Margreth.

Der Zapfenstreich geht vorbei, der Tambourmajor voran.

MARIE   (das Kind wippend auf dem Arm). He Bub! Sa ra   5
ra ra! Hörst? Da kommen sie

MARGRETH.   Was ein Mann, wie ein Baum.

MARIE.   Er steht auf seinen Füßen wie ein Löw.

(Tambourmajor grüßt.)

MARGRETH.   Ei, was freundliche Auge, Frau Nachbarin,   10
so was is man an ihr nit gewöhnt.

MARIE   (singt).
    Soldaten, das sind schöne Bursch

⟨Arbeitslücke von ein bis zwei Leerzeilen⟩

MARGRETH.   Ihre Auge glänze ja noch.   15

MARIE.   Und wenn! Trag sie ihr Auge zum Jud und lass
sie sie putze, vielleicht glänze sie noch, dass man sie für
zwei Knöpf verkaufe könnt.

MARGRETH.   Was Sie? Sie? Frau Jungfer, ich bin eine ho-
nette Person, aber sie, sie guckt sieben Paar lederne   20
Hose durch.

MARIE.   Luder! (Schlägt das Fenster ⟨zu⟩.) Komm mein
Bub. Was die Leut wollen. Bist doch nur en arm Hu-
renkind und machst deiner Mutter Freud mit deim un-
ehrliche Gesicht. Sa! Sa! (Singt.)   25

    Mädel, was fangst du jetzt an
    Hast ein klein Kind und kein Mann
    Ei was frag ich danach
    Sing ich die ganze Nacht
    Heio popeio mein Bu. Juchhe!   30
    Gibt mir kein Mensch nix dazu.

---

4 **Zapfenstreich:** vgl. 9,30 | 4 **Tambourmajor:** Anführer der Tambours (Trommler) eines
Regiments im Rang eines Unteroffiziers | 18 **Knöpf:** auch: Münzen | 19 **Jungfer:** ab-
schätzig für: unverheiratete Frau | 19 f. **honette:** anständige | 24 f. **unehrliche Gesicht:**
uneheliche Abstammung

Hansel spann deine sechs Schimmel an
Gib ihn zu fresse aufs neu
Kein Haber fresse sie
Kein Wasser saufe sie
5   Lauter kühle Wein muss es sein Juchhe
Lauter kühle Wein muss es sein.

(Es klopft am Fenster.)

MARIE.   Wer da? Bist du's Franz? Komm herein!
WOYZECK.   Kann nit. Muss zum Verles.
10 MARIE.   Was hast du Franz?
WOYZECK.   (geheimnisvoll) Marie, es war wieder was, viel, steht nicht geschrieben, und sieh da ging ein Rauch vom Land, wie der Rauch vom Ofen?
MARIE.   Mann!
15 WOYZECK.   Es ist hinter mir gegangen bis vor die Stadt. Was soll das werden?
MARIE.   Franz!
WOYZECK.   Ich muss fort (er geht.)
MARIE.   Der Mann! So vergeistert. Er hat sein Kind nicht
20 angesehn. Er schnappt noch über mit den Gedanken. Was bist so still, Bub? Furchst' Dich? Es wird so dunkel, man meint, man wär blind. Sonst scheint doch als die Latern herein. Ich halt's nicht aus. Es schauert mich (geht ab.)

25 ## 3. Szene
⟨= H 1,1 und H 1,2 sowie H 2,3 und H 2,5⟩

Buden. Lichter. Volk.

ALTER MANN. KIND DAS TANZT:
Auf der Welt ist kein Bestand
30   Wir müssen alle sterben, das ist uns wohlbekannt!
⟨WOYZECK⟩. He! Hopsa! Armer Mann, alter Mann! Armes Kind! Junges Kind! ++++ und ++st! Hei Marie,

3 **Haber:** Hafer | 9 **Verles:** abendlicher Zählappell beim Militär (Verlesen der Namen) |
19 **vergeistert:** südhessisch für: verängstigt, außer sich vor Schreck | 21 **Furchst' Dich:**
fürchtest du dich

soll ich dich tragen? Ein Mensch muss noch d. +++
vo+ ++d+, damit er essen kann. ++++ Welt! Schöne
Welt!

AUSRUFER, an einer Bude: Meine Herren, meine Damen,
ist zu sehn das astronomische Pferd und die feinen Kanaillevögele, sind Liebling von allen Potentaten Europas
und Mitglied von allen gelehrten Societäten; weissagen
den Leuten alles, wie alt, wie viel Kinder, was für Krank-
heit, schießt Pistol los, stellt sich auf ein Bein. Alles Erziehung, haben eine viehische Vernunft, oder vielmehr
eine ganze vernünftige Viehigkeit, ist kein viehdummes
Individuum wie viele Personen, das verehrliche Publikum
abgerechnet. Es wird sein, die Rapresentation, das commencement vom commencement wird sogleich nehm
sein Anfang.
Meine Herren! Meine Herren! Sehn sie die Kreatur, wie
sie Gott gemacht, nix, gar nix. Sehen Sie jetzt die Kunst,
geht aufrecht hat Rock und Hosen, hat ein Säbel! Ho!
Mach Kompliment! So bist baron. Gib Kuss! (Er trompe-
tet.) Michel ist musikalisch.
Sehn Sie die Fortschritte der Civilisation. Alles schreitet
fort, ein Pferd, ein Aff, ein Canaillevogel. Der Aff' ist
schon ein Soldat, 's ist noch nit viel, unterst Stuf von
menschliche Geschlecht!
Die Rapräsentation anfangen! Man mackt Anfang von
Anfang. Es wird sogleich sein das Commencement von
Commencement.

WOYZECK. Willst du?

MARIE. Meinetwegen. Das muss schön Dings sein. Was
der Mensch Quasten hat und die Frau hat Hosen.

Unterofficier. Tambourmajor.

⟨UNTEROFFICIER⟩. Halt, jetzt. Siehst du sie! Was ein Weibsbild.

TAMBOURMAJOR. Teufel zum Fortpflanzen von Kürassierregimentern und zur Zucht von Tambourmajors.

---

5 f. **Kanaillevögele:** scherzhaft für: Kanarienvögel; *canaille* (frz.) / »Kanalje« (südhessisch)
für: Schurke | 6 **Potentaten:** Fürsten, Herrscher | 7 **Societäten:** Gesellschaften |
13 **Rapresentation:** Repräsentation, hier: Vorführung | 13 f. **commencement:** (frz.) An-
fang | 18 **Rock:** knielange Herrenjacke | 19 **baron:** französische Kleinschreibung für den
Adelstitel Baron | 30 **Quasten:** pinselartig zusammengefasste Fransen; Kleiderschmuck |
34 f. **Kürassierregimentern:** Reiterregimentern

UNTEROFFICIER. Wie sie den Kopf trägt, man meint das schwarze Haar müsse ihn abwärts ziehn, wie ein Gewicht, und Augen, schwarz

TAMBOURMAJOR. Als ob man in einen Ziehbrunnen oder zu
5 einem Schornstein hinunterguckt. Fort hinterdrein.

MARIE. Was Lichter,

WOYZECK. Ja d++ Bou+, eine große schwarze Katze mit feurigen Augen. Hei, was ein Abend.

Das Innere der Bude.

10 MARKTSCHREIER. Zeig' dein Talent! zeig deine viehische Vernünftigkeit! Beschäme die menschliche Societät! Meine Herren dies Tier, wie sie da sehn, Schwanz am Leib, auf seinen vier Hufen ist Mitglied von allen gelehrten Societäten, ist Professor an mehren Universitäten wo die
15 Studenten bei ihm reiten und schlagen lernen. Das war einfacher Verstand! Denk jetzt mit der doppelten Raison. Was machst du wann du mit der doppelten Räson denkst? Ist unter der gelehrten Société da ein Esel? (Der Gaul schüttelt den Kopf.) Sehn sie jetzt die doppelte Rä-
20 son! Das ist Viehsionomik. Ja das ist kein viehdummes Individuum, das ist eine Person! Ein Mensch, ein tierischer Mensch und doch ein Vieh, eine Bête (das Pferd führt sich ungebührlich auf.) So beschäme die Société! Sehn sie das Vieh ist noch Natur unverdorbne Natur! Ler-
25 nen Sie bei ihm. Fragen sie den Arzt es ist höchst schädlich! Das hat geheißen Mensch sei natürlich, du bist geschaffen Staub, Sand, Dreck. Willst du mehr sein, als Staub, Sand, Dreck? Sehn sie was Vernunft, es kann rechnen und kann doch nit an den Fingern herzählen,
30 warum? Kann sich nur nit ausdrücken, nur nit explicieren, ist ein verwandter Mensch! Sag den Herren, wie viel Uhr es ist. Wer von den Herren und Damen hat eine Uhr, eine Uhr.

UNTEROFFICIER. Eine Uhr! (Zieht großartig und gemessen
35 eine Uhr aus der Tasche.) Da mein Herr.

16 **Raison:** (frz.) Vernunft | 20 **Viehsionomik:** Verballhornung des Wortes »Physiognomik«; Lehre, die von der äußeren Erscheinung des Menschen auf das innere Wesen schließt | 22 **Bête:** (frz.) Tier | 30 f. **explicieren:** (frz.) erklären | 34 **gemessen:** langsam, würdevoll

MARIE. Das muss ich sehn. (Sie klettert auf den ersten Platz. Unterofficier hilft ihr.)

4. Szene
⟨= H 4,4⟩

Marie sitzt, ihr Kind auf dem Schoß, ein Stückchen Spiegel in der Hand.

⟨MARIE⟩ (bespiegelt sich). Was die Steine glänze! Was sind's für? Was hat er gesagt? – Schlaf Bub! Drück die Auge zu, fest (das Kind versteckt die Augen hinter den Händen), noch fester, bleib so, still oder er holt dich. (Singt.)

> Mädel mach's Ladel zu
> 's kommt e Zigeunerbu
> Führt dich an deiner Hand
> Fort ins Zigeunerland.

(Spiegelt sich wieder.) 's ist gewiss Gold! Unsereins hat nur ein Eckchen in der Welt und ein Stückchen Spiegel und doch hab' ich einen so roten Mund als die großen Madamen mit ihren Spiegeln von oben bis unten und ihren schönen Herrn, die ihnen die Händ' küssen; ich bin nur ein arm Weibsbild. – (Das Kind richtet sich auf.) Still Bub, die Auge zu, das Schlafengelchen! wie's an der Wand läuft (sie blinkt mit dem Glas) die Auge zu, oder es sieht dir hinein, dass du blind wirst.

(Woyzeck tritt herein, hinter sie. Sie fährt auf mit den Händen nach den Ohren.)

WOYZECK. Was hast du?
MARIE. Nix.
WOYZECK. Unter deinen Fingern glänzt's ja.
MARIE. Ein Ohrringlein; hab's gefunden.
WOYZECK. Ich hab' so noch nix gefunden, zwei auf einmal.

12 **Ladel:** (Fenster-)Laden

MARIE.   Bin ich ein Mensch?

WOYZECK.   's ist gut, Marie. – Was der Bub schläft. Greif'
ihm unters Ärmchen der Stuhl drückt ihn. Die hellen
Tropfen steh'n ihm auf der Stirn; alles Arbeit unter der
5   Sonn, sogar Schweiß im Schlaf. Wir arme Leut! Das is
wieder Geld Marie, die Löhnung und was von mein'm
Hauptmann.

MARIE.   Gott vergelt's Franz.

WOYZECK.   Ich muss fort. Heut Abend, Marie. Adies.

10   MARIE.   (allein nach einer Pause) Ich bin doch ein schlecht
Mensch. Ich könnt' mich erstechen. – Ach! Was Welt?
Geht doch alles zum Teufel, Mann und Weib.

5. Szene

⟨= H 4,5⟩

15   Der Hauptmann. Woyzeck.

Hauptmann auf einem Stuhl, Woyzeck rasiert ihn.

HAUPTMANN.   Langsam, Woyzeck, langsam; ein's nach
dem andern; Er macht mir ganz schwindlich. Was soll
ich dann mit den zehn Minuten anfangen, die er heut zu
20   früh fertig wird? Woyzeck, bedenk' er, er hat noch seine
schöne dreißig Jahr zu leben, dreißig Jahr! macht 360
Monate, und Tage, Stunden, Minuten! Was will er denn
mit der ungeheuren Zeit all anfangen? Teil er sich ein,
Woyzeck.

25   WOYZECK.   Ja wohl, Herr Hauptmann.

HAUPTMANN.   Es wird mir ganz angst um die Welt, wenn
ich an die Ewigkeit denke. Beschäftigung, Woyzeck,
Beschäftigung! ewig das ist ewig, das ist ewig, das siehst
du ein; nun ist es aber wieder nicht ewig und das ist ein
30   Augenblick, ja, ein Augenblick – Woyzeck, es schaudert
mich, wenn ich denk, dass sich die Welt in einem Tag
herumdreht, was eine Zeitverschwendung, wo soll das

---

1 **Mensch:** hier abwertend als Schimpfwort: Hure, Dirne | 9 **Adies:** volkstümlich für: adieu
(Abschiedsgruß)

hinaus? Woyzeck, ich kann kein Mühlrad mehr sehn,
oder ich werd' melancholisch.

WOYZECK. Ja wohl, Herr Hauptmann.

HAUPTMANN. Woyzeck er sieht immer so verhetzt aus,
ein guter Mensch tut das nicht, ein guter Mensch, der   5
sein gutes Gewissen hat. – Red' er doch was Woyzeck.
Was ist heut für Wetter?

WOYZECK. Schlimm, Herr Hauptmann, schlimm; Wind.

HAUPTMANN. Ich spür's schon, 's ist so was Geschwindes
draußen; so ein Wind macht mir den Effekt wie eine   10
Maus. (Pfiffig.) Ich glaub' wir haben so was aus Süd-
Nord.

WOYZECK. Ja wohl, Herr Hauptmann.

HAUPTMANN. Ha! ha! ha! Süd-Nord! Ha! Ha! Ha! O er
ist dumm, ganz abscheulich dumm. (Gerührt.) Woy-   15
zeck, er ist ein guter Mensch, ein guter Mensch – aber
(mit Würde) Woyzeck, er hat keine Moral! Moral das
ist wenn man moralisch ist, versteht er. Es ist ein gutes
Wort. Er hat ein Kind, ohne den Segen der Kirche, wie
unser hochehrwürdiger Herr Garnisonsprediger sagt,   20
ohne den Segen der Kirche, es ist nicht von mir.

WOYZECK. Herr Hauptmann, der liebe Gott wird den armen Wurm nicht drum ansehn, ob das Amen drüber gesagt ist, eh' er gemacht wurde. Der Herr sprach: lasset
die Kindlein zu mir kommen.   25

HAUPTMANN. Was sagt er da? Was ist das für 'ne kuriose
Antwort? Er macht mich ganz confus mit seiner Antwort. Wenn ich sag: er, so mein ich ihn, ihn.

WOYZECK. Wir arme Leut. Sehn sie, Herr Hauptmann,
Geld, Geld. Wer kein Geld hat. Da setz einmal einer   30
sein'sgleichen auf die Moral in die Welt. Man hat auch
sein Fleisch und Blut. Unsereins ist doch einmal unselig
in der und der andern Welt, ich glaub' wenn wir in
Himmel kämen, so müssten wir donnern helfen.

HAUPTMANN. Woyzeck er hat keine Tugend, er ist kein   35
tugendhafter Mensch. Fleisch und Blut? Wenn ich am

2 **melancholisch:** schwermütig | 10 **Effekt:** Wirkung | 19 **ohne den Segen der Kirche:**
unehelich. Vgl. Anm. zu 16,19. | 27 **confus:** verwirrt

Fenster lieg, wenn es geregnet hat und den weißen
Strümpfen so nachsehe, wie sie über die Gassen sprin-
gen, – verdammt Woyzeck, – da kommt mir die Liebe.
Ich hab auch Fleisch und Blut. Aber Woyzeck, die Tugend, die Tugend! Wie sollte ich dann die Zeit herum-
bringen? ich sag' mir immer du bist ein tugendhafter
Mensch, (gerührt) ein guter Mensch, ein guter Mensch.

WOYZECK. Ja Herr Hauptmann, die Tugend! ich hab's
noch nicht so aus. Sehn Sie wir gemeinen Leut, das hat
keine Tugend, es kommt einem nur so die Natur, aber
wenn ich ein Herr wär und hätt ein Hut und eine Uhr
und en Anglaise und könnt vornehm reden, ich wollt
schon tugendhaft sein. Es muss was Schöns sein um die
Tugend, Herr Hauptmann. Aber ich bin ein armer
Kerl.

HAUPTMANN. Gut Woyzeck. Du bist ein guter Mensch,
ein guter Mensch. Aber du denkst zu viel, das zehrt, du
siehst immer so verhetzt aus. Der Diskurs hat mich
ganz angegriffen. Geh' jetzt und renn nicht so; langsam
hübsch langsam die Straße hinunter.

6. Szene
⟨= H 4,6⟩

Marie. Tambourmajor.

TAMBOURMAJOR. Marie!

MARIE (ihn ansehend, mit Ausdruck). Geh' einmal vor
dich hin. – Über die Brust wie ein Stier und ein Bart wie
ein Löw .. So ist keiner .. Ich bin stolz vor allen Wei-
bern.

TAMBOURMAJOR. Wenn ich am Sonntag erst den großen
Federbusch hab' und die weißen Handschuh, Donner-
wetter, Marie, der Prinz sagt immer: Mensch, er ist ein
Kerl.

MARIE. (spöttisch) Ach was! (Tritt vor ihn hin.) Mann!

1 f. **den weißen Strümpfen so nachsehe:** Frauen hinterhersehe | 12 **Anglaise:** (frz.)
festlicher Anzug | 18 **Diskurs:** (frz.: *discours*) Gespräch, Unterhaltung

TAMBOURMAJOR. Und du bist auch ein Weibsbild, Sapperment, wir wollen eine Zucht von Tambourmajors anlegen. He? (Er umfasst sie.)

MARIE. (verstimmt) Lass mich!

TAMBOURMAJOR. Wild Tier.

MARIE. (heftig) Rühr mich an!

TAMBOURMAJOR. Sieht dir der Teufel aus den Augen?

MARIE. Meinetwegen. Es ist alles eins.

7. Szene
⟨= H 4,7⟩

Marie. Woyzeck.

FRANZ (sieht sie starr an, schüttelt den Kopf). Hm! Ich seh nichts, ich seh nichts. O, man müsst's sehen, man müsst's greifen können mit Fäusten.

MARIE (verschüchtert). Was hast du Franz? Du bist hirnwütig Franz.

FRANZ. Eine Sünde so dick und so breit. (Es stinkt dass man die Engelchen zum Himmel hinausräuchern könnt.) Du hast ein roten Mund, Marie. Keine Blase drauf? Adieu, Marie, du bist schön wie die Sünde – Kann die Todsünde so schön sein?

MARIE. Franz, du red'st im Fieber.

FRANZ. Teufel! – Hat er da gestanden, so, so?

MARIE. Dieweil der Tag lang und die Welt alt ist, können viel Menschen an einem Platz stehn, einer nach dem andern.

WOYZECK. Ich hab ihn gesehn.

MARIE. Man kann viel sehn, wenn man zwei Augen hat und man nicht blind ist und die Sonn scheint.

WOYZECK. Mi+t s++ A++

MARIE. (keck) Und wenn auch.

---

1 f. **Sapperment:** alle Achtung! | 15 f. **hirnwütig:** rasend, wahnsinnig | 24 **Dieweil:** solange | 31 **keck:** vorlaut, frech

8. Szene
⟨= H 4,8⟩

Woyzeck. Der Doctor.

DOCTOR. Was erleb' ich Woyzeck? Ein Mann von Wort.
5 WOYZECK. Was denn Herr Doctor?
DOCTOR. Ich hab's gesehn Woyzeck; er hat auf Straß gepisst, an die Wand gepisst wie ein Hund. Und doch
zwei Groschen täglich. Woyzeck das ist schlecht, die
Welt wird schlecht, sehr schlecht.
10 WOYZECK. Aber Herr Doctor, wenn einem die Natur
kommt.
DOCTOR. Die Natur kommt, die Natur kommt! Die Natur! Hab' ich nicht nachgewiesen, dass der Musculus
constrictor vesicae dem Willen unterworfen ist? Die Na-
15 tur! Woyzeck, der Mensch ist frei, in dem Menschen verklärt sich die Individualität zur Freiheit. Den Harn nicht
halten können! (Schüttelt den Kopf, legt die Hände auf
den Rücken und geht auf und ab.) Hat er schon seine
Erbsen gegessen, Woyzeck? – Es gibt eine Revolution in
20 der Wissenschaft, ich sprenge sie in die Luft. Harnstoff,
0,10, salzsaures Ammonium, Hyperoxydul.
Woyzeck muss er nicht wieder pissen? geh' er einmal
hinein und probier er's.
WOYZECK. Ich kann nit Herr Doctor.
25 DOCTOR. (mit Affekt) Aber auf die Wand pissen! Ich
hab's schriftlich, den Akkord in der Hand. Ich hab's
gesehn, mit diesen Augen gesehn, ich streckte grade die
Nase zum Fenster hinaus und ließ die Sonnenstrahlen
hineinfallen, um das Niesen zu beobachten, (tritt auf
30 ihn los) nein Woyzeck, ich ärger mich nicht, Ärger ist
ungesund, ist unwissenschaftlich. Ich bin ruhig ganz
ruhig, mein Puls hat seine gewöhnlichen 60 und ich
sag's ihm mit der größten Kaltblütigkeit! Behüte wer
wird sich über einen Menschen ärgern, einen Men-
35 schen! Wenn es noch ein Proteus wäre, der einem kre-

---

13 f. **Musculus constrictor vesicae:** (lat.) Blasenschließmuskel | 21 **salzsaures Ammo-
nium:** Salz des Harns | 21 **Hyperoxydul:** Metallverbindung | 26 **Akkord:** (frz.) Vertrag |
35 **Proteus:** froschartige Eidechse

piert! Aber er hätte doch nicht an die Wand pissen sollen –

WOYZECK.   Sehn sie Herr Doctor, manchmal hat man so 'nen Charakter, so 'ne Struktur. – Aber mit der Natur ist's was anders, sehn sie mit der Natur (er kracht mit den Fingern) das ist so was, wie soll ich doch sagen, zum Beispiel

DOCTOR.   Woyzeck, er philosophiert wieder.

WOYZECK.   (vertraulich) Herr Doctor haben sie schon was von der doppelten Natur gesehn? Wenn die Sonn in Mittag steht und es ist als ging die Welt im Feuer auf hat schon eine fürchterliche Stimme zu mir geredt!

DOCTOR.   Woyzeck, er hat eine Aberratio

WOYZECK.   (legt den Finger an die Nase) Die Schwämme Herr Doctor. Da, da steckts. Haben sie schon gesehn in was für Figuren die Schwämme auf dem Boden wachsen. Wer das lesen könnt.

DOCTOR.   Woyzeck er hat die schönste Aberratio mentalis partialis, der zweiten Species, sehr schön ausgeprägt, Woyzeck er kriegt Zulage. Zweiter Species, fixe Idee, mit allgemein vernünftigem Zustand, er tut noch alles wie sonst, rasiert seinen Hauptmann!

WOYZECK.   Ja, wohl.

DOCTOR.   Isst seine Erbsen?

WOYZECK.   Immer ordentlich Herr Doctor. Das Geld für die Menage kriegt meine Frau.

DOCTOR.   Tut seinen Dienst.

WOYZECK.   Ja wohl.

DOCTOR.   Er ist ein interessanter Casus, Subjekt Woyzeck er kriegt Zulage. Halt er sich brav. Zeig er seinen Puls! Ja.

---

14 **Schwämme:** Pilze 18 f. **Aberratio mentalis partialis:** teilweise geistige Verwirrung. Vgl. Anm. zu 20,18. | 26 **Menage:** hier: Verpflegung | 29 **Casus:** (lat.) Fall | 29 **Subjekt:** hier abwertend für: Person

9. Szene
⟨= H 4,9 und H 2,7⟩

⟨Straße.⟩

Hauptmann. Doctor.

5 HAUPTMANN. Herr Doctor, die Pferde machen mir ganz
Angst; wenn ich denke, dass die armen Bestien zu Fuß
gehn müssen. Rennen Sie nicht so. Rudern Sie mit ihrem Stock nicht so in der Luft. Sie hetzen sich ja hinter
dem Tod drein. Ein guter Mensch, der sein gutes Ge-
10 wissen hat, geht nicht so schnell. Ein guter Mensch. (Er
erwischt den Doctor am Rock.) Herr Doctor erlauben
sie, dass ich ein Menschenleben rette, sie schießen
Herr Doctor, ich bin so schwermütig, ich habe so was
Schwärmerisches, ich muss immer weinen, wenn ich
15 meinen Rock an der Wand hängen sehe, da hängt er.
DOCTOR. Hm, aufgedunsen, fett, dicker Hals, apoplekti-
sche Konstitution. Ja Herr Hauptmann sie können eine
Apoplexia cerebralis kriechen, sie können sie aber vielleicht auch nur auf der einen Seite bekommen, und
20 dann auf der einen gelähmt sein, oder aber sie können
im besten Fall geistig gelähmt werden und nur fortvege-
tieren, das sind so ohngefähr ihre Aussichten auf die
nächsten vier Wochen. Übrigens kann ich sie versi-
chern, dass sie einen von den interessanten Fällen abge-
25 ben und wenn Gott will, dass ihre Zunge zum Teil gelähmt wird, so machen wir die unsterblichsten Experimente.
HAUPTMANN. Herr Doctor erschrecken Sie mich nicht, es
sind schon Leute am Schreck gestorben, am bloßen hel-
30 len Schreck. – Ich sehe schon die Leute mit den Zitronen in den Händen, aber sie werden sagen, er war ein
guter Mensch, ein guter Mensch – Teufel Sargnagel.
DOCTOR. ⟨⟨hält ihm den Hut hin⟩⟩ Was ist das Herr
Hauptmann? das ist Hohlkopf

---

16 f. **apoplektische Konstitution:** schlaganfallgefährdet | 18 **Apoplexia cerebralis:**
Gehirnschlag | 18 **kriechen:** südhessisch für: kriegen, bekommen

HAUPTMANN. (macht eine Falte) Was ist das Herr Doctor, das ist Einfalt.

DOCTOR.   Ich empfehle mich, geehrtester Herr Exerzierzagel

HAUPTMANN.   Gleichfalls, bester Herr Sargnagel. –   5

(⟨Woyzeck kommt gelaufen⟩)

Ha Woyzeck, was hetzt er sich so an mir vorbei. Bleib er doch Woyzeck, er läuft ja wie ein offnes Rasiermesser durch die Welt, man schneidt sich an ihm, er läuft als hätt er ein Regiment Kosaken zu rasieren und würde ge-   10
henkt über dem letzten Haar nach einer Viertelstunde – aber, über die langen Bärte, was wollt ich doch sagen? Woyzeck – die langen Bärte

DOCTOR.   Ein langer Bart unter dem Kinn, schon Plinius spricht davon, man muss es den Soldaten abgewöhnen,   15
die, die,

HAUPTMANN.   (fährt fort) Hä? über die langen Bärte? Wie is Woyzeck hat er noch nicht ein Haar aus einem Bart in seiner Schüssel gefunden? He er versteht mich doch, ein Haar von einem Menschen, vom Bart eines Sapeur,   20
eines Unterofficier, eines – eines Tambourmajor? He Woyzeck? Aber Er hat eine brave Frau. Geht ihm nicht wie andern.

WOYZECK.   Ja wohl! Was wollen Sie sagen Herr Hauptmann?   25

HAUPTMANN.   Was der Kerl ein Gesicht macht! er steckt ++++++st++ct, in den Himmel nein, muss nun auch nicht in der Suppe, aber wenn er sich eilt und um die Eck geht, so kann er vielleicht noch auf Paar Lippen eins finden, ein Paar Lippen, Woyzeck, ich habe wieder die Lie-   30
be gefühlt, Woyzeck.
Kerl er ist ja kreideweiß.

WOYZECK.   Herr Hauptmann, ich bin ein armer Teufel, – und hab sonst nichts – auf der Welt Herr Hauptmann, wenn Sie Spaß machen –   35

---

3 f. **Exerzierzagel:** Zagel: Schwanz, Nachtrab eines Heeres | 20 **Sapeur:** Regimentszimmermann

HAUPTMANN.   Spaß ich, dass dich Spaß, Kerl!

DOCTOR.   Den Puls Woyzeck, den Puls, klein, hart hüp-
fend, ungleich.

WOYZECK.   Herr Hauptmann, die Erd ist höllenheiß, mir
5   eiskalt, eiskalt, die Hölle ist kalt, wollen wir wetten.
Unmöglich. Mensch! Mensch! unmöglich.

HAUPTMANN.   Kerl, will er erschossen ⟨werden⟩, will ein
Paar Kugeln vor den Kopf haben? er ersticht mich mit
seinen Augen, und ich mein es gut ⟨mit⟩ ihm, weil er ein
10   guter Mensch ist Woyzeck, ein guter Mensch.

DOCTOR.   Gesichtsmuskeln starr, gespannt, zuweilen hüp-
fend, Haltung aufgerichtet gespannt.

WOYZECK.   Ich geh! Es ist viel möglich. Der Mensch! es ist
viel möglich.

15   Wir haben schön Wetter Herr Hauptmann. Sehn sie so
ein schönen, festen grauen Himmel, man könnte Lust
bekommen, einen Kloben hineinzuschlagen und sich daran zu hängen, nur wegen des Gedankenstrichels zwischen Ja, und nein, ja – und nein, Herr Hauptmann ja
20   und nein? Ist das nein am ja oder das ja am nein schuld.
Ich will drüber nachdenken.

(Geht mit breiten Schritten ab, erst langsam dann immer
schneller.)

DOCTOR.   (schießt ihm nach) Phänomen, Woyzeck, Zulage.

25   HAUPTMANN.   Mir wird ganz schwindlich vor den Menschen, wie schnell, der lange Schlegel greift aus, es läuft
der Schatten von einem Spinnenbein, und der Kurze, das
zuckelt. Der Lange ist der Blitz und der kleine der Donner.
Hähä, hinterdrein. Das hab' ich nicht gern! ein guter
30   Mensch ist dankbar und hat sein Leben lieb, ein guter
Mensch hat keine Courage nicht! ein Hundsfott hat Courage! Ich bin bloß in Krieg gangen um mich in meiner
Liebe zum Leben zu befestigen. Von der Angst zur
Angst, von da zum Krieg von da zur Courage, wie man
35   zu so Gedanken kommt, grotesk! grotesk!

17 **Kloben:** Haken aus Eisen | 24 **Phänomen:** auffallende Erscheinung | 26 **Schlegel:**
südhessisch für: derber Kerl | 31 **Courage:** (frz.) Mut | 31 **Hundsfott:** Schimpfwort |
35 **grotesk:** widersinnig

10. Szene
⟨= H 3,1⟩

Der Hof des Professors.

Studenten unten, der Professor am Dachfenster.

⟨PROFESSOR⟩. Meine Herrn, ich bin auf dem Dach, wie Da- 5
vid, als er die Bathseba sah; aber ich sehe nichts als die
culs de Paris der Mädchenpension im Garten trocknen.
Meine Herrn wir sind an der wichtigen Frage über das
Verhältnis des Subjektes zum Objekt, wenn wir nur eins
von den Dingen nehmen, worin ⟨sich⟩ die organische 10
Selbstaffirmation des Göttlichen, auf einem der hohen
Standpunkte manifestiert und ihre Verhältnisse zum
Raum, zur Erde, zum Planetarischen untersuchen, meine
Herrn, wenn ich diese Katze zum Fenster hinauswerfe,
wie wird diese Wesenheit sich zum Centrum gravitationis 15
und dem eignen Instinkt verhalten. He Woyzeck, (brüllt)
Woyzeck!
WOYZECK. Herr Professor sie beißt.
PROFESSOR. Kerl, er greift die Bestie so zärtlich an, als
wär's seine Großmutter. 20
WOYZECK. Herr Doctor ich hab's Zittern.
DOCTOR. (ganz erfreut) Ei, ei, schön Woyzeck (reibt sich
die Hände). (Er nimmt die Katze.) Was seh' ich meine
Herrn, die neue Species Hühnerlaus, eine schöne Spe-
zies, wesentlich verschieden, enfoncé, der Herr Doctor 25
(er zieht eine Lupe heraus), Ricinus, meine Herrn – (die
Katze läuft fort). Meine Herrn, das Tier hat keinen wis-
senschaftlichen Instinkt, Ricinus, herauf, die schönsten
Exemplare, bringen sie ihre Pelzkragen. Meine Herrn, sie
können dafür was anders sehen, sehen sie der Mensch, 30
seit einem Vierteljahr isst er nichts als Erbsen, bemerkten
sie die Wirkung, fühlen sie einmal was ein ungleicher
Puls, da und die Augen.
WOYZECK. Herr Doctor es wird mir dunkel. (Er setzt sich.)

---

7 **culs de Paris:** (frz.) Gesäßpolster | 11 **Selbstaffirmation:** Bejahung, Zustimmung |
12 **manifestiert:** zeigt | 15 **Centrum gravitationis:** eigentlich *centrum gravitatis*: Schwer-
punkt | 25 **enfoncé:** (frz.) eingegraben (im Pelz) | 26 **Ricinus:** lat. Gattungsname der
Geflügel- oder Pelzlaus

DOCTOR.   Courage Woyzeck noch ein paar Tage, und dann ist's fertig, fühlen sie meine Herrn fühlen sie (sie betasten ihm Schläfe, Puls und Busen).

A propos, Woyzeck, beweg den Herren doch einmal die Ohren, ich hab es Ihnen schon zeigen wollen, Zwei Muskeln sind bei ihm tätig. Allons frisch!

WOYZECK.   Ach Herr Doctor!

DOCTOR.   Bestie, soll ich dir die Ohren bewegen; willst du's machen wie die Katze. So meine Herrn, das sind so Übergänge zum Esel, häufig auch in Folge weiblicher Erziehung, und die Muttersprache, wie viel Haare hat dir deine Mutter zum Andenken schon ausgerissen aus Zärtlichkeit. Sie sind dir ja ganz dünn geworden, seit ein paar Tagen, ja die Erbsen, meine Herren.

11. Szene
⟨= H 4,10⟩

Die Wachtstube.

Woyzeck. Andres.

ANDRES.   (singt)
        Frau Wirtin hat 'ne brave Magd
        Sie sitzt im Garten Tag und Nacht
        Sie sitzt in ihrem Garten …
WOYZECK.   Andres!
ANDRES.   Nu?
WOYZECK.   Schön Wetter.
ANDRES.   Sonntagsonnwetter und Musik vor der Stadt. Vorhin sind die Weibsbilder hinaus, die Menscher dämpfen, das geht.
WOYZECK.   (unruhig) Tanz, Andres, sie tanzen
ANDRES.   Im Rössel und im Sternen.
WOYZECK.   Tanz, Tanz.

3 **Busen:** Brust | 4 **A propos:** (frz.) übrigens | 6 **Allons:** (frz.) auf geht's | 27 **Menscher:** weibliche Personen; als Schimpfwort: Huren, Dirnen | 28 **dämpfen:** südhessisch für: dampfen, schwitzen

ANDRES.   Meinetwegen.
> Sie sitzt in ihrem Garten
> bis dass das Glöcklein zwölfe schlägt
> und passt auf die Solda – aten.

WOYZECK.   Andres, ich hab keine Ruh.   5

ANDRES.   Narr!

WOYZECK.   Ich muss hinaus. Es dreht sich mir vor den Augen. Was sie heiße Händ haben. Verdammt Andres!

ANDRES.   Was willst du?

WOYZECK.   Ich muss fort.   10

ANDRES.   Mit dem Mensch.

WOYZECK.   Ich muss hinaus, 's ist so heiß dahie.

12. Szene
⟨= H 4,11⟩

Wirtshaus.   15

Die Fenster offen, Tanz.
Bänke vor dem Haus. Bursche

ERSTER HANDWERKSBURSCH.
> Ich hab ein Hemdlein an
> das ist nicht mein   20
> Meine Seele stinkt nach Brandewein –

ZWEITER HANDWERKSBURSCH.   Bruder, soll ich dir aus Freundschaft ein Loch in die Natur machen? Verdammt. Ich will ein Loch in die Natur machen. Ich bin auch ein Kerl, du weißt, ich will ihm alle Flöh am Leib   25
totschlagen.

ERSTER HANDWERKSBURSCH.   Meine Seele, meine Seele stinkt nach Brandewein. – Selbst das Geld geht in Verwesung über. Vergissmeinnicht. Wie ist diese Welt so schön. Bruder, ich muss ein Regenfass voll greinen. Ich   30
wollt unsre Nasen wären zwei Bouteillen und wir könnten sie uns einander in den Hals gießen.

---

12 **dahie:** hier | 22 **Bruder:** vertrauliche Anrede (hier nicht verwandtschaftlich) |
23 **ein Loch in die Natur machen:** verletzen | 30 **greinen:** weinen | 31 **Bouteillen:** (frz.)
Flaschen

DIE ANDERN IM CHOR:
>   Ein Jäger aus der Pfalz,
>   ritt einst durch einen grünen Wald,
>   Halli, halloh, gar lustig ist die Jägerei
5   Allhier auf grüner Heid
>   Das Jagen ist mei Freud.

(Woyzeck stellt sich ans Fenster.

Marie und der Tambourmajor tanzen vorbei, ohne ihn zu bemerken.)

10 MARIE.   (im Vorbeitanzen) Immer zu, immer zu.

WOYZECK.   (erstickt) Immer zu – immer zu. (Fährt heftig auf und sinkt zurück auf die Bank.) Immer zu immer zu, (schlägt die Hände ineinander) dreht Euch, wälzt Euch. Warum bläst Gott nicht ⟨die⟩ Sonn aus, dass alles
15 in Unzucht sich übernanderwälzt, Mann und Weib, Mensch und Vieh. Tut's am hellen Tag, tut's einem auf den Händen, wie die Mücken. – Weib. –
⟨Möglicherweise Arbeitsnotiz:⟩ Das Weib ist heiß, heiß!
– Immer zu, immer zu, (fährt auf) der Kerl! Wie er an
20 ihr herumtappt, an ihrem Leib, er rührt sie an

ERSTER HANDWERKSBURSCH.   (predigt auf dem Tisch) Jedoch wenn ein Wandrer, der gelehnt steht an den Strom der Zeit oder aber sich die göttliche Weisheit beantwortet und sich anredet: Warum ist der Mensch? Warum ist der
25 Mensch? – Aber wahrlich ich sage Euch, von was hätte der Landmann, der Weißbinder, der Schuster, der Arzt leben sollen, wenn Gott den Menschen nicht geschaffen hätte? Von was hätte der Schneider leben sollen, wenn er dem Menschen nicht die Empfindung der Scham einge-
30 pflanzt, von was der Soldat, wenn ⟨er⟩ ihn nicht mit dem Bedürfnis sich totzuschlagen ausgerüstet hätte? Darum zweifelt nicht, ja ja, es ist lieblich und fein, aber alles Irdische ist eitel, selbst das Geld geht in Verwesung über. – Zum Beschluss, meine geliebten Zuhörer lasst uns noch
35 übers Kreuz pissen, damit ein Jud stirbt.

15 **Unzucht:** moralisch verurteilender Ausdruck für Geschlechtsverkehr |
26 **Weißbinder:** Anstreicher

13. Szene
⟨= H 4,12⟩

Freies Feld.

Woyzeck.

Immer zu! immer zu! Still Musik. – (Reckt sich gegen
den Boden.) He was, was sagt ihr? Lauter, lauter, stich,
stich die Zickwolfin tot? stich, stich die Zickwolfin tot.
Soll ich? Muss ich? Hör ich's da noch, sagt's der Wind
auch? Hör ich's immer, immer zu, stich tot, tot.

14. Szene
⟨= H 4,13⟩

Nacht.

Andres und Woyzeck in einem Bett.

WOYZECK (schüttelt Andres). Andres! Andres! ich kann
nit schlafen, wenn ich die Augen zumach, dreht sich's
immer und ich hör die Geigen, immer zu, immer zu
und dann sprichts aus der Wand, hörst du nix?
ANDRES. Ja, – lass sie tanzen – Gott behüt uns, Amen
(schläft wieder ein).
WOYZECK. Es zieht mir zwischen den Augen wie ein
Messer.
ANDRES. Du musst Schnaps trinken und Pulver drein,
das schneidt das Fieber.

---

7 **Zickwolfin:** Nachname Maries (Marie Zickwolf), mit damals üblicher weiblicher En-
dung | 23 **schneidt:** senkt

15. Szene
⟨= H 4,14⟩

Wirtshaus.

Tambourmajor. Woyzeck. Leute.

TAMBOURMAJOR.   Ich bin ein Mann! (schlägt sich auf die Brust) ein Mann sag' ich.
Wer will was? Wer kein besoffner Herrgott ist der lass sich von mir. Ich will ihm die Nas ins Arschloch prügeln. Ich will – (zu Woyzeck) da Kerl, sauf, der Mann muss saufen, ich wollt die Welt wär Schnaps, Schnaps
WOYZECK.   (pfeift)
TAMBOURMAJOR.   Kerl, soll ich dir die Zung aus dem Hals ziehn und sie um den Leib herumwicklen? (Sie ringen, Woyzeck verliert.) Soll ich dir noch so viel Atem lassen als ein Altweiberfurz, soll ich?
WOYZECK.   (setzt sich erschöpft zitternd auf eine Bank)
TAMBOURMAJOR.   Der Kerl soll dunkelblau pfeifen. Ha.
      Brandewein das ist mein Leben
      Brandwein gibt Courage!
EINER.   Der hat sein Fett.
ANDRER.   Er blut.
WOYZECK.   Eins nach dem andern.

16. Szene
⟨= H 4,15⟩

Woyzeck. Der Jude.

WOYZECK.   Das Pistolchen ist zu teuer.
JUD.   Nu, kauft's oder kauft's nit, was is?
WOYZECK.   Was kost das Messer.

JUD.   's ist gar, grad! Wollt Ihr Euch den Hals mit ab-
schneiden, nu, was is es? Ich gäb's Euch so wohlfeil wie
ein andrer, Ihr sollt Euern Tod wohlfeil haben, aber
doch nit umsonst. Was is es? Er soll einen ökonomi-
schen Tod haben   5

WOYZECK.   Das kann mehr als Brot schneiden.

JUD.   Zwei Groschen.

WOYZECK.   Da! (Geht ab.)

JUD.   Da! Als ob's nichts wär. Und es is doch Geld. Der
Hund.   10

17. Szene
⟨= H 4,16⟩

Marie (allein, blättert in der Bibel).

⟨MARIE.⟩   Und ist kein Betrug in seinem Munde erfunden.
Herrgott. Herrgott! Sieh mich nicht an. (Blättert wei-   15
ter.) Aber die Pharisäer brachten ein Weib zu ihm, im
Ehebruche begriffen und stelleten sie ins Mittel dar. –
Jesus aber sprach: so verdamme ich dich auch nicht.
Geh hin und sündige hinfort nicht mehr. (Schlägt die
Hände zusammen.) Herrgott! Herrgott! Ich kann nicht.   20
Herrgott gib mir nur so viel, dass ich beten kann. (Das
Kind drängt sich an sie.) Das Kind gibt mir einen Stich
ins Herz. Fort! Das brüht sich in der Sonne!

NARR (liegt und erzählt sich Märchen an den Fingern) Der hat die goldne Kron, der Herr König.   25
Morgen hol' ich der Frau Königin ihr Kind. Blutwurst
sagt: komm Leberwurst (er nimmt das Kind und wird
still)

⟨MARIE.⟩   Der Franz ist nit gekommen, gestern nit, heut
nit, es wird heiß hie (Sie macht das Fenster auf.) Und   30
trat hinein zu seinen Füßen und weinete und fing an
seine Füße zu netzen mit Tränen und mit den Haaren
ihres Hauptes zu trocknen und küssete seine Füße und

---

2 **wohlfeil:** preiswert, günstig | 4f. **ökonomischen Tod:** preiswerten Tod | 23 **brüht sich:**
wärmt sich

salbete sie mit Salben. (Schlägt sich auf die Brust.)
Alles tot! Heiland, Heiland ich möchte dir die Füße
salben

18. Szene
⟨= H 4,17⟩

Kaserne.

Andres. Woyzeck, kramt in seinen Sachen.

WOYZECK.   Das Kamisolchen Andres, ist nit zur Montour, du kannst's brauchen Andres. Das Kreuz is meiner
Schwester und das Ringlein, ich hab auch noch ein Heiligen, zwei Herzen und schön Gold, es lag in meiner
Mutter Bibel und da steht:
> Leiden sei all mein Gewinst,
> Leiden sei mein Gottesdienst,
> Herr wie dein Leib war rot und wund
> So lass mein Herz sein aller Stund.

Meine Mutter fühlt nur noch, wenn ihr die Sonn auf die
Händ scheint! Das tut nix.

ANDRES   (ganz starr, sagt zu allem). ja wohl.

WOYZECK   (zieht ein Papier hervor). Friedrich Johann
Franz Woyzeck, geschworner Füsilier im 2. Regiment,
2. Bataillon 4. Compagnie, geboren Mariae Verkündi-
gung ich bin heut den 20. Juli alt 30 Jahre 7 Monat und
12 Tage.

ANDRES.   Franz, du kommst ins Lazarett. Armer du
musst Schnaps trinken und Pulver drin das tödt das Fieber.

WOYZECK.   Ja Andres, wann der Schreiner die Hobelspän
hobelt, es weiß niemand, wer sein Kopf drauf legen
wird.

---

1 **salbete:** rieb (mit einer Salbe) ein; hier als Ritual der Heilung und Heiligung | 8 **Kamisol-**
chen: kurze, eng anliegende Männerjacke, Weste. Vgl. Anm. zu 31,8 f. | 10 f. **Heiligen:** hier:
Heiligenbild | 21 **geschworner Füsilier:** mit einem Gewehr ausgerüsteter Soldat, der
den Fahneneid geleistet hat | 22 **Bataillon ... Compagnie:** militärische Einheiten |
22 f. **Mariae Verkündigung:** Fest im Kirchenjahr (25. März) | 25 **Lazarett:** Militär-
krankenhaus | 28 **Hobelspän:** Sarg. Das Sargkissen war häufig mit Hobelspänen gefüllt

19. Szene

⟨= H 1,14⟩

Marie mit Mädchen vor der Haustür

MÄDCHEN.

> Wie scheint die Sonn St. Lichtmesstag   5
> Und steht das Korn im Blühn.
> Sie gingen wohl die Straße hin
> Sie gingen zu zwei und zwein
> Die Pfeifer gingen vorn
> Die Geiger hinter drein.   10
> Sie hatten rote S+k

ERSTES ⟨KIND⟩.   's ist nit schön.

ZWEITES ⟨KIND⟩.   Was willst du auch immer.

⟨KIND⟩.   Was hast zuerst angefangen.

⟨KIND⟩.   Ich kann nit.   15

⟨KIND⟩.   Warum?

⟨KIND⟩.   Darum?

⟨KIND⟩.   Aber warum darum?

⟨KIND⟩.   Es muss singen.

⟨KIND⟩.   Mariechen sing du uns.   20

MARIE.   Kommt ihr kleine Krabben!

> Ringle, ringel Rosenkranz. König Herodes.
> Großmutter erzähl.

GROSSMUTTER.   Es war einmal ein arm Kind und hat kein Vater und keine Mutter war alles tot und war niemand   25 mehr auf der Welt. Alles tot, und es ist hingangen und hat gerrt Tag und Nacht. Und wie auf die Erd niemand mehr war, wollt's in Himmel gehn, und der Mond guckt es so freundlich an und wie's endlich zum Mond kam, war's ein Stück faul Holz und da ist es zur Sonn gangen   30 und wie's zur Sonn kam war's eine verwelkte Sonnenblume und wie's zu den Sternen kam, warens kleine goldne Mücken die waren angesteckt wie der Neuntöter sie auf die Schlehen steckt und wies wieder auf die Erd wollt, war die Erd ein umgestürzter Hafen und war ganz allein   35

---

5 **St. Lichtmesstag:** Mariä Lichtmess; Fest im Kirchenjahr (2. Februar) | 21 **Krabben:** Kosewort für Kinder | 27 **gerrt:** laut geweint (verkürzte Partizipform; eigentlich: gegerrt) | 33 **Neuntöter:** Vogelart | 34 **Schlehen:** Schwarzdornstrauch | 35 **Hafen:** hier: Topf

und da hat sich s hingesetzt und gerrt und da sitzt es
noch und ist ganz allein
WOYZECK. Marie!
MARIE. (erschreckt) Was ist
5   WOYZECK. Marie wir wollen gehn 's ist Zeit.
MARIE. Wohinaus
WOYZECK. Weiß ich's?

20. Szene
⟨= H 1,15⟩

10   Marie und Woyzeck.

MARIE. Also dort hinaus ist die Stadt 's ist finster.
WOYZECK. Du sollst noch bleiben. Komm setz dich.
MARIE. Aber ich muss fort.
WOYZECK. Du würdest dir die Füße nicht wund laufen
15   MARIE. Wie bist du denn auch?
WOYZECK. Weißt du auch wie lang es j++ ist Marie
MARIE. Um Pfingsten zwei Jahr
WOYZECK. Weißt du auch wie lang es noch sein wird?
MARIE. Ich muss fort der Nachttau fällt.
20   WOYZECK. Friert's dich Marie, und doch bist du warm.
Was du heiße Lippen hast! (Heiß, heißer Hurenatem und
doch möcht' ich den Himmel geben sie noch einmal zu
küssen)
S+++be und wenn man kalt ist, so friert man nicht mehr.
25   Du wirst vom Morgentau nicht frieren.
MARIE. Was sagst du?
WOYZECK. Nix. (Schweigen.)
MARIE. Was der Mond rot aufgeht.
WOYZECK. Wie ein blutig Eisen.
30   MARIE. Was hast du vor? Franz, du bist so blass. Franz
halt. Um des Himmels willen, he Hülfe
WOYZECK. Nimm das und das! Kannst du nicht sterben.

So! so! Ha sie zuckt noch, noch nicht noch nicht? Immer
noch? (Stößt zu.)
Bist du tot? Tot! Tot! (Es kommen Leute, läuft weg.)

21. Szene
⟨= H 1,16⟩

Es kommen Leute.

ERSTE P⟨ERSON⟩. Halt!
ZWEITE P⟨ERSON⟩.   Hörst du? Still! Dort.
ERSTE ⟨PERSON⟩.   Uu! da! Was ein Ton.
ZWEITE ⟨PERSON⟩.   Es ist das Wasser, es ruft, schon lang ist
niemand ertrunken. Fort 's ist nicht gut, es zu hören.
ERSTE ⟨PERSON⟩.   Und jetzt wieder. Wie ein Mensch der
stirbt.
ZWEITE ⟨PERSON⟩.   Es ist unheimlich, so duftig – halb Ne-
bel, grau und das Summen der Käfer wie gesprungne
Glocken. Fort!
ERSTE ⟨PERSON⟩.   Nein, zu deutlich, zu laut. Da hinauf.
Komm mit.

22. Szene
⟨= H 1,17⟩

Das Wirtshaus.

WOYZECK.   Tanzt alle, immer zu, schwitzt und stinkt, er
holt Euch doch einmal alle.
          (Singt.)
          Frau Wirtin hat 'ne brave Magd
          Sie sitzt im Garten Tag und Nacht
          Sie sitzt in ihrem Garten
          Bis dass das Glöcklein zwölfe schlägt
          Und passt auf die Soldaten.
(Er tanzt.) So Käthe! setz dich! Ich hab heiß! heiß (er zieht

14 **duftig:** dunstig

den Rock aus) es ist einmal so, der Teufel holt die eine und lässt die andre laufen.

Käthe du bist heiß! Warum denn Käthe du wirst auch noch kalt werden. Sei vernünftig. Kannst du nicht sin-gen?

⟨KÄTHE⟩.

    Ins Schwabeland das mag ich nicht
    Und lange Kleider trag ich nicht
    Denn lange Kleider spitze Schuh,
    Die kommen keiner Dienstmagd zu.

⟨WOYZECK⟩. Nein, keine Schuh, man kann auch ohne Schuh in die Höll gehn.

⟨KÄTHE⟩.

    O pfui mein Schatz das war nicht fein.
    Behalt dein Taler und schlaf allein.

⟨WOYZECK⟩. Ja wahrhaftig, ich möchte mich nicht blutig machen.

KÄTHE. Aber was hast du an deiner Hand.

WOYZECK. Ich? Ich?

KÄTHE. Rot, Blut (es stellen sich Leute um sie)

WOYZECK. Blut? Blut?

WIRT. Uu Blut.

WOYZECK. Ich glaub ich hab' mich geschnitten, da an die rechte Hand.

WIRT. Wie kommt's aber an den Ellenbogen?

WOYZECK. Ich hab's abgewischt.

WIRT. Was mit der rechten Hand an den rechten Ellbogen. Ihr seid geschickt

NARR. Und da hat der Riese gesagt: ich riech, ich riech, ich riech Menschenfleisch. Puh. Der stinkt schon

WOYZECK. Teufel, was wollt Ihr? Was geht's Euch an? Platz! oder der erste – Teufel. Meint Ihr ich hätt jemand umgebracht? Bin ich Mörder? Was gafft Ihr! Guckt Euch selbst an. Platz da (er läuft hinaus.)

23. Szene
⟨= H 1,18⟩

Kinder.

ERSTES KIND.   Fort. Margrethe!

ZWEITES KIND.   Was is.

ERSTES KIND.   Weißt du's nit? Sie sind schon alle hinaus. Draußen liegt eine.

ZWEITES KIND.   Wo?

ERSTES ⟨KIND⟩.   Links über die Lochschneis in die Wäldchen, am roten Kreuz.

ZWEITES ⟨KIND⟩.   Fort, dass wir noch was sehen. Sie tragen ⟨sie⟩ sonst hinein.

24. Szene
⟨= H 1,19⟩

Woyzeck, allein.

Das Messer? Wo ist das Messer? Ich hab' es da gelassen. Es verrät mich! Näher, noch näher! Was ist das für ein Platz? Was hör ich? Es rührt sich was. Still. Da in der Nähe. Marie? Ha Marie! Still. Alles still! (Was bist du so bleich, Marie? Was hast du eine rote Schnur um den Hals? Bei wem hast du das Halsband verdient, mit deiner Sünde? Du warst schwarz davon, schwarz! Hab ich dich jetzt gebleicht. Was hängen deine schwarzen Haare, so wild? Hast du deine Zöpfe heut nicht geflochten?) Da liegt was! kalt, nass, stille. Weg von dem Platz, das Messer, das Messer hab ich's? So! Leute – Dort. (Er läuft weg.)

25. Szene
⟨= H 1,20⟩

Woyzeck an einem Teich.

So da hinunter! (Er wirft das Messer hinein.) Es taucht in
das dunkle Wasser, wie Stein! Der Mond ist wie ein blutig
Eisen! Will denn die ganze Welt es ausplaudern? Nein es
liegt zu weit vorn, wenn sie sich baden (er geht in den
Teich und wirft weit) so jetzt, aber im Sommer, wenn sie
tauchen nach Muscheln, bah es wird rostig. Wer kann's
erkennen? hätt' ich es zerbrochen. Bin ich noch blutig?
ich muss mich waschen. Da ein Fleck und da noch einer.

26. Szene
⟨= H 1,22⟩

Gerichtsdiener. Barbier. Arzt. Richter.

POLIZEIDIENER.   Ein guter Mord, ein echter Mord, ein schöner Mord, so schön als man ihn nur verlangen tun kann,
wir haben schon lange so keinen gehabt. –

27. Szene
⟨= H 3,2⟩

Der Idiot. Das Kind. Woyzeck.

KARL   (hält das Kind vor sich auf dem Schoß). Der is ins
Wasser gefallen, der is ins Wasser gefallen, wie, der is
ins Wasser gefallen.
WOYZECK.   Bub, Christian.
KARL.   (sieht ihn starr an) Der is ins Wasser gefallen.
WOYZECK.   (will das Kind liebkosen, es wendet sich weg und
schreit) Herrgott!
KARL.   Der is ins Wasser gefallen.

14 **Barbier:** Herrenfriseur, der auch den Bart schneidet | 21 f. **Der is ins Wasser gefallen:**
erster Vers eines in Hessen verbreiteten Abzählreims

WOYZECK.   Christianchen, du bekommst en Reuter, sa sa.
(Das Kind wehrt sich. Zu Karl.) Da kauf dem Bub en
Reuter.
KARL.   (sieht ihn starr an)
WOYZECK.   Hop! hop! Ross.   5
KARL.   (jauchzend) Ho! hop! Ross! Ross (läuft mit dem
Kind weg)

---

1 **Reuter:** Reiter, südhessisches Gebäck aus Kuchenteig | 5 **Hop! hop! Ross:** vermutlich
Variante von »Hoppe, hoppe, Reiter«

Anhang

1. Zur Textgestalt

Der Text dieser Ausgabe folgt

Georg Büchner: Woyzeck. Leonce und Lena. Hrsg. von Burghard Dedner. Stuttgart: Reclam, 2005 [u. ö.]. S. 5–38.

Büchner hat *Woyzeck* nicht abgeschlossen, sondern nur handschriftliche Entwürfe hinterlassen. Der Textbestand der seitengleich in der Universal-Bibliothek und hier vorliegenden Leseausgabe beruht auf der 1999 bei Reclam erschienenen Studienausgabe von Burghard Dedner.

Der Text folgt der letzten überlieferten Handschrift H 4, die in Zürich zwischen Oktober 1836 und Büchners Tod am 19. Februar 1837 entstanden ist. Sie wird in Antiqua wiedergegeben. Textteile aus den älteren, in Straßburg zwischen Ende Juli und Anfang Oktober 1836 entstandenen Handschriften H 1 (gesamter Dramenablauf) und H 2 (eine erweiterte Fassung des Dramenbeginns) sowie aus dem ebenfalls in Zürich entstandenen Einzelblatt H 3 (Szene 10 und 27) sind in Grotesk wiedergegeben.

Ihre Anordnung folgt zunächst H 4, in zweiter Linie H 1, schließlich der Entscheidung des Herausgebers Burghard Dedner (insbesondere 9., 10., 19., 27. Szene). Teils handelt es sich nahezu um Reinschrift (etwa H 4,1–2, H 4,4–5), teils um flüchtige Entwürfe Büchners (etwa Szenen 10–18). Je nach Entstehungsphase beruhen sie auf unterschiedlichen inhaltlichen Konzeptionen. Die Namen der Hauptfiguren etwa waren in H 1 noch »Louis« und »Margreth«, in den Szenen 19–26 ist der Name »Woyzeck« deshalb in der für H 4 gewählten Antiqua-Schrift gesetzt.

Die Orthographie wurde behutsam modernisiert, die Schreibung der Personalpronomina, die Apostrophe und die Zeichensetzung jedoch weitgehend bewahrt. Unleserliche Stellen sind mit +++ gekennzeichnet.

Bei folgenden Stellen handelt es sich um unsichere Späteinträge Büchners:

11,23 Ich halt's nicht aus. Es schauert mich
20,18 f. mentalis partialis
27,1–6 DIE ANDERN IM CHOR: *bis* Das Jagen ist mei Freud.
27,18–20 Das Weib ist heiß, heiß! *bis* er rührt sie an
28,8 f. Hör ich's da noch, sagt's der Wind auch?

An folgenden Stellen notierte Büchner am Rand mögliche Alternativen:

31,15 f. Herr wie dein Leib war rot und wund / So lass mein Herz sein aller Stund. *Dies ist eine Alternativvariante zu* 31,13 f. Leiden sei all mein Gewinst, / Leiden sei mein Gottesdienst.
32,16–18 Warum? / Darum? / Aber warum darum? *Dies ist eine Alternativvariante zu* Was hast zuerst angefangen / Ich kann nit. / Es muss singen.

Zu den Wort- und Sacherläuterungen

Die Wort- und Sacherläuterungen basieren in Teilen auf den Erläuterungen in: Burghard Dedner (unter Mitarb. von Gerald Funk und Christian Schmidt), *Erläuterungen und Dokumente. Georg Büchner: »Woyzeck«*, Stuttgart: Reclam, 2000 [u. ö.].

2. Anmerkungen

9,2 ⟨= H 4,1⟩: Handschriftensigle; vgl. »Zur Textgestalt«, S. 41.

9,3 Freies Feld ... Ferne: Für diese Szene hat Büchner Elemente aus den Gutachten des Leipziger Arztes und Gerichtsmediziners Johann Christian Clarus über den historischen Woyzeck übernommen (zu den Bezügen zwischen Gutachten und Stück vgl. S. 60–64); die Gutachten waren eine wichtige Quelle Büchners.

9,4 schneiden Stöcke: Tätigkeit, die zu Woyzecks militärischem Dienst gehört, ggf. aber auch eine der weiteren Arbeiten Woyzecks, mit denen er zusätzlich Geld verdient.

9,5–9 den Streif da über das Gras hin ...: Angstvisionen Woyzecks. Übernahmen aus den Clarus-Gutachten.

9,9 Freimaurer: international verbreiteter Geheimbund, in sogenannten Logen organisiert. Die erste deutsche Freimaurerloge wurde 1737 gegründet. Freimaurer vertreten aufklärerische Ideen. Aufgrund der Geheimhaltung, die die Logen betreiben und der besonderen Rituale, die sie pflegen, wurden sie von der Bevölkerung beargwöhnt, die ihnen dunkle Machenschaften unterstellte. Der historische Woyzeck gab im Verhör an, er habe »von reisenden Handwerksburschen allerhand nachtheilige Gerüchte über die Freimaurer gehört« (Clarus-Gutachten).

9,11–16 Saßen dort ... Rasen: vermutlich Teile der sechsten Strophe eines deutschen Volkslieds, aus dem sich das bekanntere Kinderlied herausbildete. Auch bei den weiteren Liedern im Drama handelt es sich zumeist um damals bekannte Volks- oder Kirchenlieder. Sie werden nicht an jeder Stelle ausgewiesen. Ausführliche Informationen zu den Liedtexten und der Herkunft finden sich in den »Erläuterungen und Dokumenten« zu Büchners *Woyzeck* (Reclams Universal-Bibliothek 16013).

9,25 f. Ein Feuer fährt ... wie Posaunen: Büchner lässt Woyzeck seine Visionen nach biblischem Muster beschreiben, vgl. Neues Testament (NT): »Und da geschahen Stimmen und Donner und Blitze und Erdbebung. Und die sieben Engel mit den sieben Posaunen hatten sich gerüstet zu posaunen. Und der erste Engel posaunte, und es ward ein Hagel und Feuer mit Blut gemenget [...]« (Offenbarung des Johannes 8,5–7).

10,16–18 Trag sie ihr Auge zum Jud ... verkaufe könnt: Der

Beruf des Kleinhändlers war unter Juden weit verbreitet, da sie beruflichen Beschränkungen unterlagen, die ihnen andere Erwerbsmöglichkeiten, etwa in der Landwirtschaft oder im Handwerk, verwehrten.

11,12 f. **steht nicht geschrieben ... vom Ofen:** Woyzeck zitiert hier aus der Schilderung des Untergangs von Sodom und Gomorrha im Alten Testament (AT): »Als er auf Sodom und Gomorrha und die ganze Fläche der Jordanebene hinabschaute, sah er, wie ein Qualm von der Erde aufstieg, gleich dem Rauche eines Schmelzofens« (1. Mose 19,28).

15,13 **5. Szene:** Büchner übernimmt für diese Szene Informationen aus dem Clarus-Gutachten: dass Woyzeck »bald als Friseur, bald als Bedienter« tätig war, den Hinweis, dass er von den Offizieren »mancherlei unverdiente Kränkungen habe erfahren müssen und sich zugleich seiner beabsichtigten Heirath immer mehr Schwierigkeiten in den Weg gestellt hätten« und die »Leute von ihm gesagt hätten, daß er ein guter Mensch sey«, schließlich, dass er sich oft im »Zustand der Gedankenlosigkeit« befunden habe.

16,19 **ohne den Segen der Kirche:** Um heiraten zu können, hätten Woyzeck und seine Verlobte jeweils 600 Gulden Vermögen nachweisen müssen, eine Summe, die ein einfacher Soldat nicht aufbringen konnte. Woyzeck verdient täglich 2 Groschen (vgl. 19,8), was einen Jahresverdienst von etwa 43 Gulden ergibt. Darüber hinaus gab es für Soldaten weitere Beschränkungen der Heiratsfähigkeit.

17,29 f. **den großen Federbusch:** Der Tambourmajor marschierte bei Paraden und vergleichbaren Anlässen an der Spitze der Trommler. Weiße Handschuhe und ein Federbusch auf dem Helm gehörten zu seiner Uniform und unterstrichen die repräsentative Funktion.

19,1 **8. Szene:** Büchner übernimmt aus dem Clarus-Gutachten für diese Szene die Hinweise, dass Woyzeck »Offenbarungen« zuteil geworden seien und er über die Geheimnisse der Natur gegrübelt habe, sowie den Hinweis, dass Woyzeck »vor, während und nach den Perioden« seiner »Sinnestäuschungen« immer »seine Geschäfte ordentlich besorgt habe«, was, so Clarus, eine »Seelenkrankheit« ausschließe. Im Widerspruch dazu lässt Büchner den Doktor die Diagnose »Aberratio mentalis partialis« (20,18 f.), partielle geistige Verwirrung, stellen.

19,10–15 **wenn einem die Natur kommt ... der Mensch ist frei:** Behauptung, dass der Mensch als selbstbestimmter Einzelner in seinem Denken und Tun frei sei. Seine Willensfreiheit erlaube dem Menschen auch die Kontrolle über seine ›tierische Natur‹. Indem der Doktor diese Position formuliert, vertritt er die (wissenschaftliche) Überzeugung der damaligen Zeit. Büchner ironisiert sowohl diese zeitgenössische idealistische Philosophie im Allgemeinen als auch die Lehrmeinung des ihm aus seinem Studium in Gießen bekannten Anatomieprofessors Johann Bernhard Wilbrand im Besonderen. Wilbrand lehrte, dass das Verdauungssystem unmittelbar »unter der Herrschaft des geistigen Lebens« stünde. Er schrieb: »Der Mensch gebietet frei über die Materie seines Körpers; diese unterliegt mithin der Herrschaft seines Geistes.«

20,10 **doppelten Natur:** Zur alltäglichen Wahrnehmung der sichtbaren Natur tritt bei Woyzeck unter dem Einfluss seiner Angstvorstellungen (vgl. Szene 1) die visionäre Schau der Natur hinzu.

20,10–12 **Wenn die Sonn in Mittag steht ... zu mir geredt!:** Woyzeck beschreibt seine Erfahrungen nach biblischem Muster: »Und ich hörte eine große Stimme aus dem Tempel, die sprach zu den sieben Engeln [...]« (Neues Testament, Offenbarung 16,1), vgl. auch 9,25 f.

20,18 f. **Aberratio mentalis partialis:** Die wissenschaftliche Debatte über die Schuldfähigkeit des historischen Woyzeck entzündete sich an der Frage, ob bei Woyzeck ein »partieller Wahnsinn« vorliege.

21,30 f. **Zitronen in den Händen:** Zitronen hatten bei Todesfällen und Begräbnissen mehrfache Funktionen: Man hielt sie dem Sterbenden unter die Nase, um festzustellen, ob er noch reagierte; sie dienten außerdem als Grabschmuck und sollten gegen den Verwesungsgeruch schützen.

22,14 **Ein langer Bart unter dem Kinn, schon Plinius ...:** Der Doktor (oder Büchner) verwechselt hier den römischen Schriftsteller Plinius mit dem griechischen Geschichtsschreiber Plutarch. Plutarch zufolge hat Alexander der Große seinen Soldaten das Tragen von Bärten verboten, weil sich Gegner im Kampf daran festhalten könnten.

Außerdem spielt Büchner hier möglicherweise auf die sogenannte kurhessische »Schnurrbartdebatte« von 1832 an; eine

landesherrliche Verordnung verbot den in der Bürgergarde die-
nenden Beamten das Tragen von Bärten, was die Betroffenen
als Eingriff in ihre bürgerlichen Rechte ansahen.
Die langen Bärte waren zudem Erscheinungsbild der Kosaken,
die, aus dem russischen Zarenreich kommend, während der
antinapoleonischen Kriege in Mitteleuropa besonders gefürch-
tete Soldaten waren; vgl. hierzu auch 22,10: »ein Regiment
Kosaken zu rasieren«.

24,5 f. David ... Bathseba: Anspielung auf das Alte Testament,
2. Samuel 11,2: »Und es begab sich, daß David um den Abend
aufstand von seinem Lager, und ging auf dem Dache des Köni-
ges Hauses, und sahe vom Dache ein Weib sich waschen; und
das Weib war sehr schöner Gestalt.«

25,16 H 4,10: Die Ereignisfolge von Szene 11 (H 4,10) bis Szene 14
(H 4,13) ist angeregt durch das Clarus-Gutachten über die An-
fänge der Eifersucht des historischen Woyzeck.

27,24 Warum ist der Mensch?: In seiner mit Redewendungen aus
der Bibel durchsetzten »Predigt« vertritt der Handwerksbur-
sche ironisch die Auffassung, dass alles in der Natur einem höheren Zweck dient. Hier kommt mittelbar Büchners tatsächli-
che Überzeugung zum Ausdruck: »Die Natur handelt nicht
nach Zwecken [...]; sondern sie ist in allen ihren Äußerungen
sich unmittelbar selbst genug. Alles, was ist, ist um seiner selbst
willen da.« Der Schluss der »Predigt«, »übers Kreuz pissen, damit ein Jud stirbt«, nimmt eine verbreitete antisemitische Vor-
stellung auf.

28,13 Andres und Woyzeck in einem Bett: Bis Anfang der 1840er
Jahre schliefen die Mannschaften in den Kasernen des Großherzogtums Hessen zu zweit in einem Bett.

30,14 Und ist kein Betrug ...: vgl. Neues Testament, 1. Petrus 2,21 f.

30,16–19 Aber die Pharisäer ...: vgl. Neues Testament, Johannes
8,3–11.

30,24 Narr: vgl. Anm. zu 37,20 f.

30,30–31,3 Und trat hinein ...: vgl. Neues Testament, Lukas 7,37 f.

31,8 f. ist nit zur Montour: Die Jacke ist nicht Teil der Soldaten-
kleidung und muss also nach dem Tod des Soldaten nicht an die
Einheit zurückgegeben werden.

32,22 Ringle, ringel Rosenkranz. König Herodes: Anfang eines
verbreiteten Ringelreims, der durch die Nennung des Königs
Herodes unterbrochen wird, woraufhin die Kinder sich weg-

ducken. Der jüdische König Herodes ließ auf die Nachricht von der Geburt des Messias »alle Kinder in Bethlehem tödten« (Neues Testament, Matthäus 2,16).

32,24–33,2 Es war einmal ein arm Kind ... ist ganz allein: In diesem Märchen sind Motive aus verschiedenen Märchen der Brüder Grimm verarbeitet; so aus *Die sieben Raben*, *Die Sterntaler* und *Das singende springende Löwenäckerchen* (vgl. S. 73).

35,29 f. Und da hat der Riese gesagt ... Menschenfleisch: Die Stelle geht auf das Grimmsche Märchen *Die sieben Raben* zurück.

36,9 f. Links über die Lochschneis in die Wäldchen, am roten Kreuz: Georg Büchner hatte einen konkreten Tatort vor Augen. Das rote Kreuz befindet sich noch heute im Darmstädter Stadtwald. Kreuze dieser Art wurden früher an Orten errichtet, an denen ein Mord stattgefunden hatte. Büchner kannte die Lochschneise aus seiner Jugend. Auch der Teich (25. Szene) hat ein reales Vorbild, den großen Woog in Darmstadt. Die beiden Orte liegen aber geographisch nicht so zueinander, wie Büchner dies im *Woyzeck* schildert.

37,20 f. Der Idiot ... Karl: Der Narr Karl (vgl. Dramenpersonal) wird hier als Idiot bezeichnet. Im Drama taucht der Narr als Figur auf, die sich gleichnishaft äußert.

37,21 f. Der is ins Wasser gefallen: erster Vers eines Fingerabzählreims, der in Hessen in zahlreichen Varianten überliefert ist:

Der is ins Wasser gefalle,
der hat en herausgeholt,
der hat en abgetrocknet;
der hat en hamgetrache,
der is ganz alla zu Haus.

3. Leben und Zeit

In den folgenden Dokumenten wird Georg Büchner vorgestellt. Ausgewählten biographischen Informationen, die seine politische und künstlerische Entwicklung kennzeichnen, folgt ein Auszug aus Büchners berühmter Flugschrift *Der Hessische Landbote* von 1834, mit der er die hessischen Handwerker und Bauern über die Ursachen ihrer Unterdrückung und Abhängigkeit aufklären will. Das Bild wird vervollständigt durch zwei Briefe Büchners an seine Eltern, darunter der sogenannte »Determinismus-Brief«, und durch Informationen zur sozialen Situation der Bauern und Handwerker in der Zeit des Vormärz.

Als Vormärz wird die Phase zwischen dem Wiener Kongress 1815 und der Märzrevolution 1848 bezeichnet. Diese Phase ist durch starke Interessenkonflikte geprägt. Den Interessen der Fürsten, die auf dem Wiener Kongress die Neuordnung Europas beschließen und eine Phase politischer Restauration einleiten, die von Pressezensur und Einschränkung der Meinungsfreiheit (Karlsbader Beschlüsse von 1819) gekennzeichnet ist, stehen die Forderungen nach nationaler Einheit und bürgerlicher Freiheit gegenüber. Literarische Vertreter dieser Forderungen werden unter dem Begriff »Junges Deutschland« zusammengefasst. Hier sind insbesondere Heinrich Heine (1797–1856), Ludwig Börne (1786–1837) und Karl Gutzkow (1811–1878) zu nennen. Mit Letzterem stand Büchner in einem intensiven Briefaustausch. Auch Büchner wurde aufgrund gewisser inhaltlicher Gemeinsamkeiten wiederholt dieser erst im Nachhinein so benannten literarischen Strömung zugerechnet, obwohl er sich 1836 in einem Brief dezidiert vom »Jungen Deutschland« abgegrenzt hat.

3.1 Georg Büchners Leben

Q »Georg Büchner kam am 17. Oktober 1813 in dem kleinen Ort Goddelau südwestlich von Darmstadt zur Welt. Sein Vater Ernst Büchner (1786–1861) war im Jahr zuvor zum für die Umgebung zuständigen Kreis-Chirurg ernannt worden. Georgs Geburtstag

5 war zugleich der zweite Tag der so genannten Völkerschlacht bei Leipzig, die den entscheidenden Sieg der alliierten Mächte über Napoleon und damit die Befreiung Deutschlands von der fran-

zösischen Herrschaft brachte. Die Kehrseite dieses Sieges war die daraufhin einsetzende Restauration, die Wiederkehr der alten Herrschaftssysteme, welche die politische Entwicklung Deutschlands auf Jahrzehnte hin blockierte. Schon früh in seiner Jugend erwachte Georg Büchners Interesse an den öffentlichen Verhältnissen. Von da an bis zu seinem frühen Tod litt er an den gesellschaftlichen Missständen seiner Zeit, die dem größeren Teil der Bevölkerung eine geistig und materiell kümmerliche Existenz unterhalb der Armutsgrenze aufzwangen. Büchner bekämpfte aktiv das dafür verantwortliche System, erkannte jedoch früher als seine Zeitgenossen, dass eine Veränderung der Herrschaftsverhältnisse nur mit Hilfe der unterdrückten Mehrheit der Bevölkerung erfolgreich durchgesetzt werden könne und dass die Zeit dafür in dreierlei Hinsicht noch nicht reif sei: Zum einen seien die revolutionär denkenden Eliten untereinander uneins und somit nicht handlungsfähig; zudem habe er sich überzeugt, dass ›die gebildete und wohlhabende Minorität, so viel Konzessionen sie auch von der Gewalt [den Regierungen] für sich begehrt, [...] nie ihr spitzes Verhältnis zur großen Klasse aufgeben‹ werde; und schließlich sei die große Klasse, seien die Unterprivilegierten und Armen, geistig noch zu abhängig von den traditionellen Herrschaftsverhältnissen und leicht über ihre wirkliche Lage zu täuschen: ›Ein *Huhn* im Topf jedes Bauern macht den gallischen *Hahn* [die Revolution] verenden‹ (beide Zitate aus Briefen an Karl Gutzkow im Sommer 1836 und Sommer 1835). Diese Einsichten formulierte Büchner im Straßburger Exil, wo er als politischer Flüchtling eine geduldete, aber immer gefährdete Existenz führte.

Väterlicherseits stammte Büchner aus einer Familie von hessischen Wundärzten, während die Vorfahren der Mutter höhere Beamtenstellen innegehabt hatten. Die Mutter, Caroline Büchner, geb. Reuß (1791–1858), wird als verständnisvoll und liebenswürdig beschrieben, während der Vater, der eine entbehrungsreiche Jugend durchlebt hatte, die Ausbildung der Kinder in großzügiger Weise förderte, zugleich aber auch erwartete, dass sie sich seinen Grundsätzen fügten. Er war ein Verehrer Napoleons, aber auch ein Mann der bestehenden Ordnung. Aufgrund der republikanischen und revolutionären Gesinnungen seines ältesten Sohnes, der schließlich steckbrieflich verfolgt wurde, kam es zwischen Ernst und Georg Büchner zu scharfen Konflikten. Dennoch hat Georg Büchner nie mit seinem Elternhaus gebrochen. Im Gegenteil hielt er mit der Familie noch in den Zeiten des politischen Exils vertrauten Kontakt.

50 Georg Büchner hatte sieben jüngere Geschwister, von denen zwei früh starben. Alle außer der zwei Jahre nach Georg geborenen Schwester Mathilde wurden öffentlich engagierte und bekannte Persönlichkeiten. Wilhelm Büchner (1816–92) absolvierte eine Apothekerlehre, erfand das künstliche Ultramarin, kam als 55 erfolgreicher Fabrikant zu erheblichem Vermögen und war daneben als Politiker aktiv. 1877 bis 1884 saß er für die demokratische ›Fortschrittspartei‹ im Reichstag. Luise Büchner (1821–77) machte sich mit dem 1855 erschienenen Buch *Die Frauen und ihr Beruf* einen Namen als Frauenrechtlerin. Zahlreiche weitere Veröffent60 lichungen wandten sich in emanzipatorischer Absicht vor allem an die Frauen des Mittelstandes und der Arbeiterschaft. Luise Büchner verfasste zudem literarische und geschichtliche Werke. Im selben Jahr 1855 wie Luise trat auch Ludwig Büchner (1824–99) mit seinem philosophischen Werk *Kraft und Stoff* an die Öffentlich65 keit, das ihn zum populärsten materialistischen Philosophen der zweiten Hälfte des 19. Jahrhunderts machte. Als praktischer Arzt trat er zudem in die Fußstapfen des Vaters und war als sozialer Demokrat politisch tätig. Der jüngste Bruder Alexander schließlich (1827–1904) war promovierter Jurist, nahm aktiv an der Re70 volution von 1848 teil, wurde vor Gericht gestellt, habilitierte sich schließlich in Zürich als Literaturwissenschaftler und lehrte ab 1867 als Professor in Caen. Das Denken und Handeln all dieser Geschwister war auf je eigene Art vom Vorbild des jung verstorbenen ältesten Bruders beeinflusst.

75 Georg Büchner verbrachte seine Kindheit und Jugend in Darmstadt, wohin sein Vater 1816 als Kreisarzt versetzt worden war. In der rund 20 000 Einwohner zählenden Residenzstadt des Großherzogtums Hessen-Darmstadt absolvierte er zunächst die freigeistige ›Privat-Erziehungs- und Unterrichts-Anstalt‹ des Theo80 logen Dr. Karl Weitershausen (ab 1821) und von 1825 bis 1831 das neuhumanistische Gymnasium. Beide Schulen vermittelten eine gründliche Ausbildung, deren Spuren allenthalben in Büchners Werken nachzuweisen sind. Am Darmstädter Gymnasium unterrichteten kritisch und fortschrittlich denkende Lehrer. Die Schule 85 zog infolgedessen den Verdacht auf sich, ›eine Vorschule verbotener Verbindungen und Umtriebe‹ zu sein [J. Ch. Hauschild, *Georg Büchner*, Reinbek 2004, S. 26]. Tatsächlich standen allein

aus Georg Büchners Klasse noch acht weitere Schüler später im
Verdacht ›revolutionärer Umtriebe‹. Georg Büchner begeisterte
sich als Schüler für die Französische Revolution, trug, wie sich   90
sein Bruder Ludwig erinnerte, eine ›rote Jakobiner-Mütze‹ und
begrüßte einen seiner gleichgesinnten Freunde regelmäßig mit
›Bon jour, citoyen‹. In Schulaufsätzen wie auch in zwei Reden zu
festlichen Schulanlässen verherrlichte er die großen Einzelnen, die
im Laufe der Menschheitsgeschichte ihr Leben für die Idee der   95
Freiheit in die Bresche geschlagen hatten. Eine dieser Reden hielt
er Ende September 1830, als die durch die Pariser Juli-Revolution
ausgelöste europäische revolutionäre Gärung gerade das Großherzogtum Hessen-Darmstadt erfasst hatte.

Georg Büchner blickte nach Frankreich. So wird es ihm recht   100
gewesen sein, dass sein Vater 1831 Straßburg als den Ort be-
stimmte, an dem sein Sohn das Medizinstudium aufnehmen sollte.
Georg Büchner wohnte bei entfernten Verwandten, dem verwit-
weten Pfarrer und demokratisch gesinnten Gelegenheitsdichter
Johann Jakob Jaeglé (1763–1837) und dessen Tochter Wilhelmine.   105
Während einer Erkrankung im Frühjahr 1832 schloss er mit der
drei Jahre älteren Wilhelmine eine heimliche Verlobung.

Die beiden Straßburger Studienjahre hat Georg Büchner rückblickend als seine glücklichste Zeit bezeichnet. Neben dem
Studium machte er sich mit revolutionären französischen Gesell-   110
schaftstheorien und der politischen Arbeit im Untergrund ver-
traut. Die politischen Verhältnisse nach den Revolutionen von
1830, welche zur Etablierung des ›juste milieu‹, zum politischen
Erstarken der vermögenden Bürger, geführt hatten, ohne dass die
demokratischen Grundrechte im Kern vorangebracht und die ma-   115
teriellen Verhältnisse der Armen verbessert worden waren, kom-
mentierte er, hüben wie drüben des Rheins, mit Verachtung.

Der Landesvorschrift gemäß setzte Georg Büchner nach den
Sommerferien 1833 sein Studium an der hessischen Landesuniver-
sität Gießen fort. Kaum zwei Monate später kehrte er aufgrund   120
einer Hirnhautentzündung für einige Wochen ins Elternhaus nach
Darmstadt zurück. Die mitleiderregenden Lebensverhältnisse der
oberhessischen Landbevölkerung, die Aussicht, nach Abschluss
des Studiums in den Dienst eines innerlich abgelehnten Systems
einzutreten, besonders aber die Trennung von Wilhelmine Jaeglé   125
lasteten schwer auf seinem Gemüt. Von seinen Mitstudenten hielt
er sich fern. Er studierte die Geschichte der Freiheitskämpfe und

kam zu der Einsicht, dass Freiheit im Verlauf der Menschheitsgeschichte immer nur gewaltsam errungen worden sei. Wer aber
130 Gewalt braucht, macht sich schuldig. Auch verabschiedete er sich
von dem Glauben, dass heroische Einzelne geschichtliche Entwicklungen lenken könnten. Doch auch angesichts der Ohnmacht
des Einzelnen gegenüber ›dem gräßlichen Fatalismus der Geschichte‹ (an Wilhelmine Jaeglé, März 1834) glaubte sich Georg
135 Büchner seiner revolutionär-aufklärerischen Mission nicht entzie-
hen zu können. Durch August Becker, seinen engsten Gießener
Freund, machte er die Bekanntschaft von Friedrich Ludwig Weidig, Rektor der Butzbacher Lateinschule, der den Behörden des
Großherzogtums nicht zu Unrecht als ›die Seele der staatsge-
140 fährdenden Unternehmungen‹ galt [Hauschild, *Georg Büchner*,
S. 50]. In Absprache mit Weidig verfasste Büchner im Frühjahr
1834 eine Flugschrift, die die hessischen Bauern und Handwerker
darüber aufklären sollte, wie der Staat erst durch die ihnen aufer-
legten drückenden Steuern und Abgaben stark genug wurde, um
145 sie in Abhängigkeit zu halten. Diesen Zusammenhang belegte
Büchner mit offiziellem statistischem Material aus dem großher-
zoglichen Finanzhaushalt. Rückblickend urteilte Büchner in dem
bereits erwähnten Brief vom Sommer 1836 aus Straßburg an Karl
Gutzkow, dass es für die Revolutionierung der ›großen Klasse‹
150 ›nur zwei Hebel‹ gäbe: ›materielles Elend und *religiöser Fanatis-
mus*. Jede Partei, welche diese Hebel anzusetzen versteht, wird sie-
gen.‹ Diese Hebel suchte Büchners Flugschrift, mit ihrer Analyse
der materiellen Ungerechtigkeiten und der wirkungsvoll einge-
setzten Bibelsprache, zu bedienen. [...]
155   Noch bevor der *Hessische Landbote* gedruckt wurde, hatte
Georg Büchner während der Semesterferien des Frühjahrs 1834 in
Darmstadt nach französischem Vorbild eine ›Gesellschaft der
Menschenrechte‹ ins Leben gerufen [...].
   [Inzwischen wurde] Georg Büchner [...] als Verfasser der Flug-
160 schrift [...] denunziert [...]. Zwar berief Georg Büchner im Herbst
noch einige Versammlungen der Darmstädter ›Gesellschaft für
Menschenrechte‹ ein; zwar wurden die 800 Exemplare des *Landboten*, deren die Behörden nicht hatten habhaft werden können,
erfolgreich und flächendeckend verteilt und im November sogar
165 noch weitere 400 Exemplare nachgedruckt; [...] doch insgesamt
stockte die revolutionäre Arbeit aufgrund der bedrohlichen Ermittlungen. In dieser Situation machte sich Georg Büchner an den

bereits lange gehegten Plan, ein Geschichtsdrama zu verfassen, das eine Phase der Französischen Revolution gewissermaßen aus der Innensicht schilderte: den durch Robespierre betriebenen Unter- gang von Georges Danton und seiner Parteigänger (24. März bis 5. April 1794). Der größere Teil des Dramas widmet sich infolge- dessen der politischen und persönlichen Auseinandersetzung der beiden gegensätzlichen Revolutionsführer: Robespierres asketi- sches Tugendideal und unbedingtes Machtstreben reibt sich an der offenen Selbstbezogenheit und nihilistischen Indolenz (Trägheit) des aufgrund seiner Mitschuld an den Septembermorden des Jahres 1792 ideologisch desillusionierten Danton. [...]

Das Stück, dem ein ausgedehntes Studium der geschichtlichen Quellen vorausgegangen war, entstand Anfang 1835 innerhalb von fünf Wochen. Georg Büchner sandte es dem liberalen Verleger Sauerländer in Frankfurt sowie dem jungen Schriftsteller Karl Gutzkow [...].

Unterdessen waren weitere Festnahmen erfolgt. Seinem Bruder Ludwig zufolge versetzte Georg Büchner die ›fortwährende Angst vor Verhaftung, verbunden mit der angestrengtesten Arbeit an *Danton* [...] in der letzten Zeit seines Darmstädter Aufenthalts in eine unbeschreibliche geistige Aufregung [...]‹ [...]. Wissend, was das für die Eltern bedeuten würde, bereitete sich Büchner insge- heim auf die Flucht vor. [...] Anfang März floh er nach Straßburg, wo ihn seine Verlobte und die alten Freunde erwarteten. [...]

Während der ersten Monate im Exil hatte Büchner mit der Übersetzung zweier Dramen Victor Hugos ins Deutsche Geld verdient. Diesen Auftrag hatte ihm Gutzkow vermittelt, der wei- tere literarische Arbeiten von Büchner zu erhalten wünschte. Büchner wandte sich daraufhin der Ausarbeitung einer Novelle über den Dichter Jakob Michael Reinhold Lenz zu [...]. Büchners innere Nähe zu Lenz wie auch die Zustimmung, mit der er dessen Theaterstücke studierte (*Woyzeck* ist in manchen Zügen erkennbar von den *Soldaten*, einem Drama von Lenz, beeinflusst), veranlass- ten ihn im Gegenzug, der Novellenfigur Überzeugungen vom Wesen und Zweck der Kunst in den Mund zu legen, die seinen eigenen Auffassungen in vieler Hinsicht entsprachen [...] [Sie wirken], wie oft gesagt worden ist, wie das literarische Programm des in Inhalt und Form so neuartigen *Woyzeck*. [...]

Unter dem Eindruck [der politischen] Entwicklungen ließ Georg Büchner in Straßburg seine noch unfertige Novelle liegen

und wandte sich vorerst der Wissenschaft zu, um auf sie seine Existenz zu gründen. Die praktische Medizin hatte er aufgegeben.
210 Nun wollte er wissenschaftlich forschen, um den Doktorgrad und danach die Habilitation zu erwerben, womit er an einer Universität würde lehren können. [...] [Die] Universität Zürich [verlieh] Büchner am 3. September 1836 die Doktorwürde [...] und [...] das Recht [...], als Privatdozent Vorlesungen zu halten. Bereits im spä-
215 ten Frühjahr hatte Büchner begonnen, erste Vorlesungen über philosophische Themen (Descartes, Spinoza) zu konzipieren. Dabei konnte er auf Vorarbeiten aus seiner Studienzeit zurückgreifen. Parallel dazu schrieb er an zwei Theaterstücken: *Leonce und Lena* und *Woyzeck.* [...]

220 Am 18. Oktober – einen Tag nach seinem 23. Geburtstag – reiste Georg Büchner nach Zürich ab. Als politischer Flüchtling war sein Status auch in dem neuen Gastland heikel. Am Ende des Asylverfahrens stand Ende November eine mit manchen Auflagen verbundene Aufenthaltsgenehmigung für zunächst sechs Monate.

Abb. 1: Georg Büchner. Porträtzeichnung von August Hoffmann

[...] Am 20. Januar klagte er seiner Verlobten: ›Das Mühlrad dreht ²²⁵
sich als fort ohne Rast und Ruh.‹ Wenige Tage darauf erkrankte
er an einem ›typhösen Nervenfieber‹ (*Neue Zürcher Zeitung* vom
17. Februar 1837), das in der Stadt grassierte. Durch anhaltende
Überarbeitung und vermutlich unzureichende Ernährung ge-
schwächt, versagten seine Abwehrkräfte. Am 17. Februar traf Wil- ²³⁰
helmine Jaeglé aus Straßburg ein. Der Kranke vermochte kaum
mehr, sie zu erkennen. Im Fieberdelirium quälten ihn die Erin-
nerung an das Schicksal der politischen Freunde in Hessen und die
Angst, dorthin ausgeliefert zu werden. Am 19. Februar 1837 starb
Georg Büchner im Alter von 23 Jahren.« ²³⁵

Hans-Georg Schede: Lektüreschlüssel. Georg Büchner: Woyzeck.
Stuttgart: Reclam, 2006 [u. ö.]. S. 73–87.

3.2 Aufklärung der Bauern und Handwerker:
Der Hessische Landbote (1834)

Georg Büchner und Friedrich Ludwig Weidig beschreiben im *Hessischen Landboten* die Lage der Bauern und Handwerker:

»Erste Botschaft.

Q

Darmstadt, im Juli 1834. [...]

Friede den Hütten! Krieg den Palästen!

Im Jahr 1834 siehet es aus, als würde die Bibel Lügen gestraft. Es
sieht aus, als hätte Gott die Bauern und Handwerker am 5ten ⁵
Tage, und die Fürsten und Vornehmen am 6ten gemacht, und als
hätte der Herr zu diesen gesagt: Herrschet über alles Getier, das
auf Erden kriecht, und hätte die Bauern und Bürger zum Ge-
würm gezählt. Das Leben der Vornehmen ist ein langer Sonntag,
sie wohnen in schönen Häusern, sie tragen zierliche Kleider, sie ¹⁰
haben feiste Gesichter und reden eine eigne Sprache; das Volk
aber liegt vor ihnen wie Dünger auf dem Acker. Der Bauer geht
hinter dem Pflug, der Vornehme aber geht hinter ihm und dem
Pflug und treibt ihn mit den Ochsen am Pflug, er nimmt das
Korn und lässt ihm die Stoppeln. Das Leben des Bauern ist ein ¹⁵
langer Werktag; Fremde verzehren seine Äcker vor seinen Augen,
sein Leib ist eine Schwiele, sein Schweiß ist das Salz auf dem
Tische des Vornehmen.

Im Großherzogtum Hessen sind 718,373 Einwohner, die geben
20 an den Staat jährlich an 6,363,364 Gulden, als

1)	Direkte Steuern ——	2,128,131	fl.
2)	Indirecte Steuern	2,478,264	"
3)	Domänen	1,547,394	"
4)	Regalien	46,938	"
5)	Geldstrafen	98,511	"
6)	Verschiedene Quellen	64,198	"

25

$$6,363,363 \qquad \text{fl.}$$

Dies Geld ist der Blutzehnte, der von dem Leib des Volkes ge-
30 nommen wird. An 700,000 Menschen schwitzen, stöhnen und
hungern dafür. [...]
Für das Militär wird bezahlt 914,820 Gulden.
Dafür kriegen eure Söhne einen bunten Rock auf den Leib, ein
Gewehr oder eine Trommel auf die Schulter und dürfen jeden
35 Herbst einmal blind schießen, und erzählen, wie die Herren vom
Hof, und die ungeratenen Buben vom Adel allen Kindern ehrli-
cher Leute vorgehen, und mit ihnen in den breiten Straßen der
Städte herumziehen mit Trommeln und Trompeten. Für jene
900,000 Gulden müssen eure Söhne den Tyrannen schwören und
40 Wache halten an ihrer Palästen. Mit ihren Trommeln übertäuben
sie eure Seufzer, mit ihren Kolben zerschmettern sie euch den
Schädel, wenn ihr zu denken wagt, dass ihr freie Menschen seid.
Sie sind die gesetzlichen Mörder, welche die gesetzlichen Räuber
schützen [...].«

> Georg Büchner: Sämtliche Werke und Briefe. Historisch-kritische Ausgabe
> mit Kommentar. Hrsg. von Werner R. Lehmann. Bd. 2. Hamburg: Wegner,
> 1971. S. 34, 36.

3.3 Zwei Briefe Büchners an die Eltern

Q

»Straßburg, den 1. Januar 1836.

[...] Ich komme vom Christkindelsmarkt, überall Haufen zer-
lumpter, frierender Kinder, die mit aufgerissenen Augen und trau-
rigen Gesichtern vor den Herrlichkeiten aus Wasser und Mehl,

Dreck und Goldpapier standen. Der Gedanke, dass für die meisten Menschen auch die armseligsten Genüsse und Freuden unerreichbare Kostbarkeiten sind, machte mich sehr bitter.

»Gießen, im Februar 1834.

..... Ich verachte Niemanden, am wenigsten wegen seines Verstandes oder seiner Bildung, weil es in Niemands Gewalt liegt, kein Dummkopf oder kein Verbrecher zu werden, – weil wir durch gleiche Umstände wohl alle gleich würden, und weil die Umstände außer uns liegen. Der Verstand nun gar ist nur eine sehr geringe Seite unsers geistigen Wesens und die Bildung nur eine sehr zufällige Form desselben. Wer mir eine solche Verachtung vorwirft, behauptet, dass ich einen Menschen mit Füßen träte, weil er einen schlechten Rock anhätte. Es heißt dies, eine Roheit, die man einem im Körperlichen nimmer zutrauen würde, ins Geistige übertragen, wo sie noch gemeiner ist. Ich kann jemanden einen Dummkopf nennen, ohne ihn deshalb zu verachten; die Dummheit gehört zu den allgemeinen Eigenschaften der menschlichen Dinge; für ihre Existenz kann ich nichts, es kann mir aber niemand wehren, alles, was existiert, bei seinem Namen zu nennen und dem, was mir unangenehm ist, aus dem Wege zu gehn. Jemanden kränken, ist eine Grausamkeit, ihn aber zu suchen oder zu meiden, bleibt meinem Gutdünken überlassen. Daher erklärt sich mein Betragen gegen alte Bekannte; ich kränkte keinen und sparte mir viel Langeweile; halten sie mich für hochmütig, wenn ich an ihren Vergnügungen oder Beschäftigungen keinen Geschmack finde, so ist es eine Ungerechtigkeit; mir würde es nie einfallen, einem andern aus dem nämlichen Grunde einen ähnlichen Vorwurf zu machen. Man nennt mich einen Spötter. Es ist wahr, ich lache oft, aber ich lache nicht darüber, wie jemand ein Mensch, sondern nur darüber, dass er ein Mensch ist, wofür er ohnehin nichts kann, und lache dabei über mich selbst, der ich sein Schicksal teile. Die Leute nennen das Spott, sie vertragen es nicht, dass man sich als Narr produziert und sie duzt; sie sind Verächter, Spötter und Hochmütige, weil sie die Narrheit nur außer sich suchen. Ich habe freilich noch eine Art von Spott, es ist aber nicht der der Verachtung, sondern der des Hasses. Der Hass ist so gut erlaubt als die Liebe, und ich hege ihn im vollsten Maße gegen die, welche verach-

t e n. Es ist deren eine große Zahl, die im Besitze einer lächerli-
chen Äußerlichkeit, die man Bildung, oder eines toten Krams,
den man Gelehrsamkeit heißt, die große Masse ihrer Brüder ihrem verachtenden Egoismus opfern. Der Aristokratismus ist die
40 schändlichste Verachtung des heiligen Geistes im Menschen; gegen ihn kehre ich seine eigenen Waffen; Hochmut gegen Hochmut, Spott gegen Spott. – Ihr würdet euch besser bei meinem
Stiefelputzer nach mir umsehn; mein Hochmut und Verachtung
Geistesarmer und Ungelehrter fände dort wohl ihr bestes Objekt.
45 Ich bitte, fragt ihn einmal... Die Lächerlichkeit des Herablassens
werdet Ihr mir doch wohl nicht zutrauen. Ich hoffe noch immer,
dass ich leidenden, gedrückten Gestalten mehr mitleidige Blicke
zugeworfen, als kalten, vornehmen Herzen bittere Worte gesagt
habe. – . . . . . «

> Georg Büchner: Die Briefe. Hrsg. von Ariane Martin. Stuttgart:
> Reclam, 2011. S. 40 f., 17 f.

3.4 Pauperismus: Brockhaus' *Conversations-Lexikon* (1846)

Q »P a u p e r i s m u s ist ein neuerfundener Ausdruck für eine neue,
höchst bedeutsame und unheilvolle Erscheinung, den man im
Deutschen durch die Worte Massenarmut oder Armentum wie-
derzugeben gesucht hat. Es handelt sich dabei nicht um die natür-
5 liche Armut, wie sie als Ausnahme in Folge physischer, geistiger
oder sittlicher Gebrechen, oder zufälliger Unglücksfälle immer-
fort Einzelne befallen mag; auch nicht um die vergleichungsweise
Dürftigkeit, bei der doch eine sichere Grundlage des Unterhalts
bleibt. Der Pauperismus ist da vorhanden, wo eine zahlreiche
10 Volksklasse sich durch die angestrengteste Arbeit höchstens das
notdürftigste Auskommen verdienen kann, auch dessen nicht si-
cher ist, in der Regel schon von der Geburt an und auf Lebenszeit
solcher Lage geopfert ist, keine Aussichten der Änderung hat, darüber immer tiefer in Stumpfsinn und Rohheit versinkt, den Seu-
15 chen, der Branntweinpest und viehischen Lastern aller Art, den
Armen-, Arbeits- und Zuchthäusern fortwährend eine immer stei-
gende Zahl von Rekruten liefert und dabei immer noch sich in rei-
ßender Schnelligkeit ergänzt und vermehrt. Diese Erscheinung ist
vorhanden; sie ist in Europa am schlimmsten in England, Frank-
20 reich und Belgien hervorgetreten, fängt aber auch in Deutschland,
besonders in den Ländern, wo es eigene Fabrikprovinzen gibt,

oder wo das Grundeigentum übermäßig zersplittert wurde, sich
zu zeigen an. Ja sie soll sogar in gewissen Teilen und Plätzen der
Vereinigten Staaten von Nordamerika schon bemerkbar sein. Sie
zeigt sich also in den gebildetsten, reichsten, industriösesten und 25
geistig bewegtesten Ländern, unter den verschiedensten Verfas-
sungsformen. [...] Die Erklärung der Erscheinung und demgemäß
auch die Mittel der Abhülfe hat man auf sehr verschiedenen Wegen gesucht. [...] Eine reaktionäre Farbe sucht das Übel in dem
Zeitgeiste der Neuzeit und seinen Schöpfungen und will zum 30
Mittelalter zurück, speziell zu dessen Agrarverfassung und Zunft-
wesen. Eine revolutionäre Schule, die mannichfaltigen Schat-
tierungen des K o m m u n i s m u s (s. d.) und S o z i a l i s m u s (s. d.)
umfassend, will mehr oder weniger die Grundlagen unsers recht-
lichen und sozialen Gebäudes umstürzen, namentlich das Eigen- 35
tumsrecht brechen. Sehr Viele haben die aus dem Gesamtwesen
vielartiger und zusammengesetzter Einflüsse erwachsene Erscheinung aus einzelnen Ursachen ableiten und durch einzelne Mittel
heilen wollen. Während von mehren Seiten hauptsächlich das
Fabrikwesen als die fruchtbarste Mutter des Pauperismus ange- 40
klagt wird, fodern dessen eigene Wortführer vielmehr seine kräf-
tigste Förderung durch künstliche Mittel. Den gegen die in der
Wissenschaft herrschende nationalökonomische Schule gerichte-
ten Vorwürfen, dass ihre Lehren den Pauperismus erzeugt hätten,
antwortet diese mit der ganz entgegengesetzten Behauptung: er 45
würde nicht sein, wenn man ihre Foderungen wahrhaft und vollständig erfüllt hätte. Weise geordnete Freiheit in allem Leben,
geistvolles und energisches Zusammenfassen der Kräfte für edle
Zwecke, reiches Ausstreuen der Saaten gedeihlicher Bildung,
zweckmäßige Organisation der Massen und wahrhaft christliche, 50
warme und erleuchtete Menschenliebe, das sind die Aufgaben, das
mögen die rechten Mittel sein, die, wenn sie mit Konsequenz und
Ausdauer angewendet werden, leisten müssen, was vernünftiger-
weise verlangt werden kann.«

Allgemeine deutsche Real-Encyklopädie für die gebildeten Stände.
Conversations-Lexikon. Bd. 11. Leipzig: Brockhaus, ⁹1846. S. 15 f.

4. Der historische Fall Woyzeck und eine Debatte über Schuldfähigkeit

Georg Büchner verarbeitet in seinem Drama *Woyzeck* Quellen historischer Rechtsfälle, in erster Linie natürlich den Fall des 41-jährigen Gelegenheitsarbeiters und ehemaligen Soldaten Johann Christian Woyzeck aus Leipzig, der am 21. Juni 1821 seine Geliebte Johanna Christiane Woost umbringt. An dieser Tat (und an dem ähnlich gelagerten Fall des Tabakspinnereigesellen Daniel Schmolling, der 1817 seine Geliebte umgebracht hat) entzündet sich ein öffentlich beachteter Streit zwischen Justiz und Gerichtsmedizin um die Frage der Zurechnungs- und Schuldfähigkeit der Täter bzw. Woyzecks. Infolge dieser Auseinandersetzung erstellt der Leipziger Mediziner, Hofrat Johann Christian August Clarus (1774–1854), zwei Gutachten, in denen er an der Schuldfähigkeit Woyzecks keine Zweifel lässt. Woyzeck wird, nicht zuletzt auf der Grundlage der Clarus-Gutachten, verurteilt und am 27. August 1824 in Leipzig öffentlich hingerichtet.

Ein weiterer Eifersuchtsfall im Jahr 1830 (Fall Johann Dieß) führt dazu, dass die beiden älteren Rechtsfälle Woyzeck und Schmolling wieder aufgegriffen werden. In einer Fachzeitschrift erscheint im Jahr 1836 ein zusammenfassender Bericht über die drei Fälle, der Büchner vermutlich bekannt ist.

Die folgenden Dokumente enthalten einen Auszug aus dem zweiten Clarus-Gutachten, beleuchten die juristisch-medizinische Debatte und zeigen, wie Büchner die historischen Quellen verarbeitet hat.

4.1 Das Clarus-Gutachten

Q »Die Zurechnungsfähigkeit des Mörders Johann Christian Woyzeck, nach Grundsätzen der Staatsarzneikunde aktenmäßig erwiesen

von Dr. Johann Christian August Clarus, K. Sächsischem Hofrat,
5   des Königlich Sächsischen Zivilverdienst- und des Kaiserl. Russischen Wladimirordens IV. Klasse Ritter, ordentl. des. Professor der Klinik, des Kreisamts, der Universität und der Stadt Leipzig Physikus u. Arzt am Jakobsspital etc.

Abb. 2: Johann Christian Woyzeck. Anonymer Stich, 1824

Vorwort

[...] Der Mörder *Woyzeck* erwartet in diesen Tagen, nach dreijäh-
riger Untersuchung, den Lohn seiner Tat durch die Hand des   10
Scharfrichters. [Woyzeck], der, durch ein unstätes, wüstes, gedan-
kenloses und untätiges Leben von einer Stufe der moralischen Verwilderung zur andern herabgesunken, endlich im finstern Aufruhr
roher Leidenschaften, ein Menschenleben zerstörte, und der nun,
ausgestoßen von der Gesellschaft, das seine auf dem Blutgerüste   15
durch Menschenhand verlieren soll. [...]

Leipzig den 16. August 1824.   Clarus

Am 21. Juni des Jahres 1821, Abends um halbzehn Uhr, brachte der Friseur *Johann Christian Woyzeck*, ein und vierzig Jahr alt, der sechs und vierzig jährigen Witwe des verstorbenen Chirurgus *Woost, Johannen, Christianen*, gebornen *Otto'in* in dem Hausgange ihrer Wohnung auf der Sandgasse, mit einer abgebrochnen Degenklinge, an welche er desselben Nachmittags einen Griff hatte befestigen lassen, sieben Wunden bei, an denen sie nach wenigen Minuten ihren Geist aufgab, [...].

Der Mörder wurde gleich nach vollbrachter Tat ergriffen, bekannte selbige sofort unumwunden, rekognoszierte vor dem Anfange der gerichtlichen Sektion, sowohl das bei ihm gefundene Mordinstrument, als den Leichnam der Ermordeten, und bestätigte die Aussagen der abgehörten Zeugen, so wie seine eigenen, nach allen Umständen bei den summarischen Vernehmungen und im artikulierten Verhöre. [...]

Nachdem bereits die erste Verteidigungsschrift eingereicht worden war (den 16. August 1821), fand sich der Verteidiger, durch eine in auswärtigen öffentlichen Blättern verbreitete Nachricht, dass *Woyzeck* früher mit periodischem Wahnsinn behaftet gewesen, bewogen, auf eine gerichtsärztliche Untersuchung seines Gemütszustandes anzutragen (am 23. August 1821).

In den dieserhalb mit dem Inquisiten gepflogenen fünf Unterredungen (am 26., 28. und 29. August; und am 3. und 14. September), führte derselbe zwar an, dass er sich schon seit seinem dreißigsten Jahre zuweilen in einem Zustande von Gedankenlosigkeit befunden, und dass ihm, bei einer solchen Gelegenheit einmal Jemand gesagt habe: *du bist verrückt und weißt es nicht*, zeigte aber in seinen Reden und Antworten, ohne alle Ausnahme, Aufmerksamkeit, Besonnenheit, Überlegung, schnelles Auffassen, richtiges Urteil und ein sehr treues Gedächtnis, dabei aber weder Tücke und Bosheit, noch leidenschaftliche Reizbarkeit oder Vorherrschen irgend einer Leidenschaft oder Einbildung, desto mehr aber moralische Verwilderung, Abstumpfung gegen natürliche Gefühle, und rohe Gleichgültigkeit, in Rücksicht auf Gegenwart und Zukunft. – Mangel an äußerer und innerer Haltung, kalter Missmut, Verdruss über sich selbst, Scheu vor dem Blick in sein Inneres, Mangel an Kraft und Willen sich zu erheben, Bewusstsein der Schuld, ohne die Regung, sie durch Darstellung seiner Bewegungsgründe, oder durch irgend einen Vorwand zu vermindern und zu beschönigen, aber auch ohne sonderliche Reue, ohne Unruhe und Gewissensangst, und gefühlloses Erwarten des Ausganges seines Schicksals waren die Züge, welche seinen *damaligen* Gemütszustand bezeichneten. – Unter diesen Umständen fiel das von mir abgefasste gerichtsärztliche Gutachten (den 16. Sept. 1821) dahin aus, dass:

1) der von dem Inquisiten (rücksichtlich seiner Gedankenlosigkeit u. s. w.) angeführte Umstand, obgleich zur gesetzmäßigen Vollständigkeit der Untersuchung gehörend, dennoch, weil er vor der Hand noch bloß auf der eigenen Aussage des Inquisiten beruhe, bei der *gegenwärtigen* Begutachtung nicht zu berücksichtigen, und *dieserhalb weitere Bestätigung abzuwarten sei*;

2) die über die gegenwärtige körperliche und geistige Verfassung des Inquisiten angestellten Beobachtungen kein Merkmal an die Hand gäben, welches auf das Dasein eines kranken, die freie Selbstbestimmung und die Zurechnungsfähigkeit aufhebenden Seelenzustandes zu schließen berechtige.

Da die in Bezug auf den ersten Punkt abgehörten Zeugen versicherten, dass *Woyzeck* zwar oft betrunken, außerdem aber nie in einem gedankenlosen Zustande gewesen sei, so wurde dem Inquisiten sowohl im ersten (den 11. Oktober 1821) als auch nachdem er mit einer nochmaligen Verteidigung gehört worden war (den 3. Dezember 1821), im zweiten Urteil (den 29. Februar 1822) die Strafe durchs Schwert zuerkannt, und derselbe mit seiner zweimaligen Berufung auf landesh. Begnadigung und mit der Bitte, die Todesstrafe in Zuchthausstrafe zu verwandeln (den 29. April und den 3. September), abgewiesen (den 26. August und den 19. Sept.)

Noch vor dem Eintreffen der letzten Entscheidung hatte der Inquisit einem ihn besuchenden Geistlichen eröffnet, dass es ihm mehrere Jahre vor vollbrachtem Morde gewesen sei, als ob er *fremde Stimmen* um sich höre, ohne Jemand wahrzunehmen, von dem diese Stimmen hätten herrühren können, ingleichen dass er einstmals eine *Geistererscheinung* gehabt habe. [...]«

Clarus kommt in seinem Gutachten zu dem abschließenden Urteil:

»Aus den im Vorhergehenden dargestellten Tatsachen und erörterten Gründen schließe ich: dass *Woyzecks* angebliche Erscheinungen und übrigen ungewöhnlichen Begegnisse als *Sinnestäuschun-*

gen, welche durch Unordnungen des Blutumlaufes erregt und
durch seinen Aberglauben und Vorurteile zu Vorstellungen von
einer objektiven und übersinnlichen Veranlassung gesteigert worden sind, betrachtet werden müssen, und dass ein Grund, um an-
zunehmen, dass derselbe zu irgend einer Zeit in seinem Leben und
namentlich unmittelbar *vor*, *bei* und *nach* der von ihm verübten
Mordtat sich im Zustande einer Seelenstörung befunden, oder dabei nach einem notwendigen, blinden und instinktartigen Antriebe
und überhaupt anders, als nach gewöhnlichen leidenschaftlichen
Anreizungen gehandelt habe, *nicht* vorhanden sei.«

> Georg Büchner: Sämtliche Werke und Briefe. Historisch-kritische
> Ausgabe mit Kommentar. Hrsg. von Werner R. Lehmann. Bd. 1. Hamburg:
> Wegner, 1967. S. 487–549. [Auszüge.]

4.2 Ein Mensch als Objekt: Zur Entstehung des *Woyzeck*

Q »Für die Erschließung der Entstehungsgeschichte des *Woyzeck*
müssen wir mit wenigen ungesicherten Zeugnissen und Daten
auskommen, darunter solchen, die sich nicht miteinander verein-
baren lassen. Wir wissen nicht, wann das Gutachten des Medizi-
ners Clarus in Büchners Hände gekommen ist, kennen also nicht
die Stunde der Konzeption: als ihm aufging, welche Tragödie in
dem psychiatrischen Gutachten über den 1824 hingerichteten
Mörder Woyzeck verborgen war – eine Tragödie auf der Linie jener ›Zuckungen der Geringsten‹, von denen er im *Lenz* gesprochen hatte. Ein erster Entwurf – dem Exzerpte aus dem Clarus-
Gutachten vorangegangen sein müssen – wäre vor Juni 1836
möglich, wahrscheinlicher aber ist der Zeitraum zwischen Juni
und September. Am 2. September schreibt er, er sei ›gerade daran,
sich einige Menschen auf dem Papier totschlagen [...] zu lassen‹.
Es muß sich um *Woyzeck* handeln. Das ›gerade‹ klingt danach:
mitten darin, als stünde er in diesen Tagen bei H1,15 [...], der
Mordszene. Er verläßt Straßburg am 18. Oktober. In Briefen aus
Zürich vom 13. und 20. Januar 1837 ist von seinen dichterischen
Arbeiten die Rede: auch *Woyzeck* muß gemeint sein (die letzte
Textstufe, H4). In seinem letzten [?] Brief (undatiert) steht, er
werde ›in längstens acht [!] Tagen *Leonce und Lena* mit noch zwei
anderen Dramen erscheinen lassen‹. Diese Ankündigung ist fast
unbegreiflich, wenn seine Arbeit bei H4,17 [...] durch die Krank-

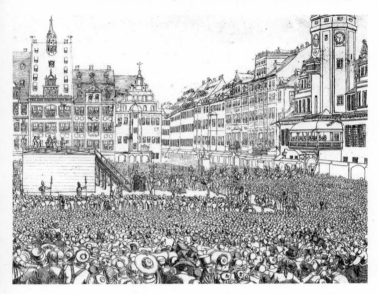

Abb. 3: Öffentliche Hinrichtung Woyzecks mit dem Schwert am 27. August 1824 in Leipzig. Federlithographie von Christian Gottfried Heinrich Geißler, 1824

heit, die unmittelbar danach ausbrach (und am 19. Februar zu seinem Tode führte), beendet wurde.

Einigermaßen tragfähig scheint: Konzeption vor Juni 1836 – erste Entwürfe Sommer/Herbst – die letzte erhaltene Textstufe wahrscheinlich nach November 1836, abgebrochen kurz nach dem 20. Januar 1837.

Die Entstehungsstufen der *Woyzeck*-Handschriften lassen sich mit Blick auf die sich entwickelnde tragische Konzeption etwa so charakterisieren:

Die *Szenengruppe 1* (H1) umfaßt 21 Szenen. Sie skizziert die Reaktionen Woyzecks (hier noch mit Namen Louis) auf die Untreue seiner Geliebten in einer Linie, die bis zum Mord, der Beseitigung der Tatwaffe und zum Beginn der Ermittlungen führt. Es fehlen noch die Peiniger und Verfolger, die seine psychische Katastrophe verursachen. Das besagt *nicht*, die soziale Dimension dieser Tragödie wäre Büchner, dem Verfasser des *Hessischen Landboten*, erst nachträglich aufgegangen. Vielmehr ist das, was wir vor uns haben, ein Ablaufschema, eine der linearen Konstruktionen [...]. [Schon] in diesem frühesten Entwurf ist Woyzeck ein Getriebener, der ›Stimmen‹ hört, und der Mord ist keine ›Tat‹, wie W. R. Lehmann zutreffend festgestellt hat.

45   Die *Szenengruppe* 2 (H2), 9 Szenen, ist ›auf Lücke gearbeitet‹ (Lehmann). Sie bringt Ergänzungen und Variationen. Jetzt wird die Tragödie tiefer in ihren sozialen Grund eingesenkt. Die Verfolger treten auf: der Hauptmann, der seinem Untergebenen ›steckt‹, daß er von seiner Geliebten hintergangen wird, und der

50   Doktor, der an Woyzeck einen Menschenversuch (ernährungsphysiologische Experimente) durchführt. Die von den Peinigern ausgehende Kausalität der physischen und psychischen Zerstörung beginnt sich dramatisch zu entfalten. Noch ist nicht das ganze System Ausbeutung / Unterdrückung / Entfremdung sicht-

55   bar; aber die prägnanteste Linie, die in das Zentrum dieses Systems hineinführt, der Menschenversuch, ist schon gezogen.

   Die ›*verstreuten Bruchstücke*‹ (Lehmann; H3) umfassen 2 Szenen, deren erste den Menschenversuch in grellster Beleuchtung vorführt. Die zweite ist eine Schlußszene: das nach der Er-

60   mordung der Mutter und der bevorstehenden Hinrichtung des Vaters in den Armen eines Schwachsinnigen zurückbleibende Kind.

   Die letzte Stufe (H4), von Lehmann ›*vorläufige Reinschrift*‹ genannt, umfaßt 17 Szenen, in denen etwa zwei Drittel des Textbe-

65   standes von H1 und H2 verwertet und umgearbeitet sind. Sie bricht nach der ›Testamentsszene‹ [...] ab: nach dem Messerkauf und unmittelbar vor den Szenen, die zum Mord hinführen (die wir von der Szenengruppe 1 her kennen). H4 weist die höchste soziale Dichte und Konkretion auf. Die Tragödie des Paupers Woyzeck

70   ist nicht nur in ihren sozialen Grund eingebettet, *sie erwächst aus ihm*. Seine Lebensumstände und seine Bewußtseinsverfassung, seine Reaktionen und ›Zuckungen‹ sind durchtränkt von den Knechtschaftsverhältnissen, unter denen er und seinesgleichen vegetieren müssen.

75   Summe: Es handelt sich um *eine* Konzeption, die schrittweise ausgearbeitet wurde in Richtung auf eine zunehmende Vertiefung der sozialen Ableitung der Reaktionen und Beweggründe oder »Schübe« der Opfer – bis zu dem Punkt, der in H4 erreicht ist. Den Zuschauer oder Leser überwältigt der Eindruck, die

80   Einsicht, daß *diese* amokartige ›Handlung‹ sich nur in *diesem* Rahmen ereignen konnte. Die ›tragische Notwendigkeit‹ ist

hier kein bloßes ästhetisches Postulat, sondern soziale Wirklichkeit.

Selbstverständlich muß man sich bewußt bleiben, daß kein endgültiger Text vorliegt – aber doch auch kein Trümmerfeld [...].«   85

Alfons Glück: Woyzeck. Ein Mensch als Objekt. In: Interpretationen. Georg Büchner: Dantons Tod, Lenz, Leonce und Lena, Woyzeck. Durchges. Ausg. Stuttgart: Reclam, 2005 [u. ö.]. S. 179–182. [Auszüge.]

4.3 Naturwissenschaftliche Experimentalpraxis in *Woyzeck*

»Georg Büchners 1836 / 37 entstandenes *Woyzeck*-Fragment[1] steht   **Q**
sprachlich wie thematisch in einem krassen Gegensatz zu dem frühen literarischen Werk. Einerseits durch den massiven Einsatz naturwissenschaftlicher Termini, andererseits durch die Tatsache, dass die Wissenschaft selbst Vorführgegenstand auf der Bühne ist,   5
wird das Stück zu einem Dokument, welches den aktuellen Stand der Wissenschaft, eingebettet in den Kontext des Dramas, in nahezu brutaler Weise herausarbeitet. Hierbei liegt ein besonderes Augenmerk auf den wissenschaftlichen Untersuchungspraktiken. Der Doktor repräsentiert den typischen Vertreter einer Wissen-   10
schaft, deren ausschließliches Ziel es ist, Ergebnisse vorzulegen. Inwieweit diese Ergebnisse der Gesellschaft oder dem einzelnen Individuum dienlich sind, ist ohne Belang, die Wissenschaft existiert einzig um ihrer selbst willen. Ohne Belang ist auch die Vorgehensweise, mit der die Wissenschaft Ergebnisse zu erzielen   15
versucht. Leiden und Qualen mehr oder weniger freiwilliger Versuchsobjekte sind sekundär, solange sie nur zu vermeintlichen Erkenntnissen und Fortschritten führen.

Menschenversuche

Woyzeck präsentiert eine Ansammlung solcher Versuche, Ver-   20
suchsreihen, Versuchsanordnungen. Fast ausschließlich ist es der Mensch, der hier zum Zwecke der Forschung von den Forschen-

---

1   Unter der Sigle W im fortlaufenden Text zitiert nach Georg Büchner, *Woyzeck. Studienausgabe*, nach der Edition von Thomas Michael Mayer, hrsg. von Burghard Dedner, Stuttgart 1999.

den gebraucht, ja missbraucht wird. Woyzeck ist wohl die bedau-
ernswerteste und geschundenste Versuchsperson dieses Kreises
25 von Probanden. Der einfache Soldat, eingebunden in ein ernied-
rigendes Militärsystem, ausgebeutet von einem Hauptmann und
gedemütigt von einem Tambourmajor, dient in vielfacher Weise
den wissenschaftlichen Zwecken des Doktors: Laufbursche, De-
monstrationsmaterial und Versuchsobjekt in einer Person, nimmt
30 Woyzeck diese Schikanen auf sich, um Marie und dem gemeinsamen Kind das Leben zu ermöglichen.

Die Materialien, mit denen Woyzeck den Doktor für dessen
wissenschaftliche Arbeiten versorgt, sind vielfältig. Neben allerlei
Getier und tierischen Substanzen ist es jedoch vor allem das Men-
35 schenmaterial Woyzeck, das dem Doktor als Forschungsgegen-
stand dient. An Woyzeck wird ermittelt, in welchem qualitativen
Verhältnis die aufgenommene Nahrung und die ausgeschiedenen
Stoffe zueinander stehen. Zu diesem Zweck dienen ihm trotz zu-
nehmendem körperlichen Verfall und beginnender psychischer
40 Störungen seit ›einem Vierteljahr‹ ausschließlich Erbsen als Nahrungsmittel, sein Urin wird täglich analysiert. Die Ergebnisse dieser qualitativen Untersuchungen scheinen viel versprechend zu
sein, der Doktor hofft durch sie eine »Revolution in der Wissenschaft« herbeiführen zu können (W 21).

45   Dieses Bild einer skrupellosen Experimentalpraxis ist angelehnt
an historischen Fakten. Mitte des 17. Jahrhunderts war es gelungen, auf einfachem Wege aus Tierknochen Gelatine zu gewinnen,
die – allerdings erfolglos – als Nahrungsmittel in Armenhäusern
und Hospitälern empfohlen wurde. Während der Hungerperiode
50 nach der Französischen Revolution nahmen verschiedene Philan-
tropen den Vorschlag erneut auf und ab 1812 begann man in
Frankreich, Hospitalinsassen und Armenhausbewohner mit Gelatine zu ernähren. Der Gebrauch des Knochenleims als Nahrung
der armen Bevölkerungsschichten ließ jedoch bald kritische Stim-
55 men laut werden, die den Nährwert der Gelatine anzweifelten. In
Folge dieser Diskussion setzte die Pariser ›Académie des sciences‹
1831 eine Kommission ein, die der Frage nachgehen sollte, wie
nahrhaft Gelatine wirklich sei. Neben zahlreichen Tierversuchen
wurden zur Klärung dieser Frage auch umfangreiche Versuche an
60 Menschen durchgeführt, von welchen einige auffällige Parallelen
zu den Experimenten in *Woyzeck* zeigen. [...]

So führte in den Jahren 1831 bis 1834 der französische Che-

miker Jean-Sébastien-Eugène Julia de Fontenelle eine breit angelegte Versuchsreihe durch, während der er seine Probanden in jeweils dreimonatigen Versuchsabschnitten einer auf Gelatine auf-   65
bauenden Diät unterzog. Neben der ausschließlichen Gabe von
Gelatine wurde diese jedoch auch mit verschiedenen Komponen-
ten gereicht, wobei Fontenelle herausfand, dass sich die ansonsten
unnahrhafte Gelatine in Verbindung mit Erbsen und anderen Hül-
senfrüchten als die innerhalb der Experimente nahrhafteste Speise   70
erwies.

Zu ähnlichen Ergebnissen kam auch der Naturforscher Henri
Milne Edwards. Edwards beschäftigte sich mit der Frage, inwieweit die Ernährung mit Gelatine die Körperkräfte beeinflusste. Zu
diesem Zwecke bediente er sich zunächst einer nicht näher cha-   75
rakterisierten Person, deren Körperkräfte in bestimmten zeitli-
chen Abständen nach den Mahlzeiten mittels eines Dynamome-
ters gemessen wurden. Verschiedene Nahrungsmittel wurden zum
Vergleich gereicht, wobei sich zeigte, dass eine gewürzte Gelati-
nesuppe, eine Art Bouillon aus 25 % Fleisch und 75 % Gelatine,   80
zu einer Kräftevermehrung des Körpers führte, die deutlich über
dem Grade anderer Nahrungsmittel lag. Um diese Ergebnisse zu
bestätigen, schloss Edwards eine breiter angelegte Versuchsreihe
an. Mit Unterstützung eines Bataillonskommandeurs und mithilfe
eines Armeechirurgen wurden an Soldaten Ernährungsexperi-   85
mente unternommen. Die Ergebnisse stimmten mit denen der
Einzelversuche überein.

Dieser Überblick offeriert ein beinahe exaktes Abbild der Versuche in *Woyzeck*. In Zeitabschnitten von drei Monaten werden
Probanden einer zumindest mit Erbsen versetzten einseitigen Er-   90
nährung unterzogen, unterstützt von einem Armeearzt und einem
hochrangigen Militär werden Soldaten – insbesondere Füsiliere –
als willfährige Opfer eines Humanexperiments herangezogen.
Warum aber die Ernährungsversuche in Büchners Drama nur an
Woyzeck durchgeführt werden – einen Hinweis auf Einbindung   95
anderer Soldaten gibt der Text nicht –, erhellt ein Rekurs auf den
Edwards'schen Versuchsaufbau: zunächst an nur einer Person, erst
später an einer größeren Gruppe fanden die Experimente statt.
Und da beide Versuchsreihen nahezu identische Ergebnisse hin-
sichtlich eines Mittelwerts ergaben, schloss Edwards, dass ›[j]enes   100
Individuum [...] sich also recht wohl als den Typus der Anlagen
der Art betrachten [lasse], und man sich in Fällen, wo nicht in

größern Maaßstabe experimentiert werden kann, auf die mit diesem einzelnen Menschen erhaltenen Resultate ziemlich verlas-
105 sen‹[2] könne. Woyzeck stellt demnach einen Typus dar, mit dessen
Hilfe die Resultate auf die Masse der Soldaten – und letztendlich
ganzer Gesellschaftsschichten – übertragbar werden.

Dramenökonomische Gründe mögen Büchner bewogen haben,
die Gelatine durch die dem Leser als billiges Nahrungsmittel ver-
110 trauten Erbsen zu ersetzen. Letztlich ist die Wahl der Nahrungs-
mittelgrundlage der Versuche an Woyzeck jedoch zweitrangig,
denn im Vordergrund steht das experimentell ausgebeutete Individuum und die aufgrund dieser Experimente angestrebte Aus-
weitung auf die armen Bevölkerungsschichten. Ob nun auf der
115 Basis von Erbsen oder Gelatine, in Hinblick auf die den Experimenten zugrunde liegenden Überlegungen ist dieser Aspekt unbe-
deutend.«

Udo Roth: Naturwissenschaftliches im literarischen Werk Georg Büchners.
In: Der Deutschunterricht 54 (2002) Heft 6. S. 62–64. –
© 2002 Friedrich Verlag GmbH, Seelze.

2 Henri Milne Edwards, »Ueber den Gallertstoff, als Nahrungsmittel betrachtet«,
   in: *Froriep's Notizen aus dem Gebiete der Natur- und Heilkunde* (1835) Nr. 940,
   Spalte 250–256 [= Auszug aus *Le Temps* vom 18. Febr. 1835], hier Spalte 254.

5. Büchners Realismus

»Wie Büchner beim Schreiben auf historische Quellen zurückgriff, so orientierte er sich auch an literarischen und vor allem an dramatischen Mustern [...]« (*Erläuterungen und Dokumente*, S. 225). Dazu gehören die Dramen von William Shakespeare (1564–1616, insbesondere *Macbeth* und *Othello*), Johann Wolfgang Goethe (1749–1832) und Jakob Reinhold Michael Lenz (1751–1792), daneben auch Werke von Ludwig Tieck (1773–1853). Außerdem finden sich Bearbeitungen von Märchenstoffen, insbesondere der Grimmschen Märchen *Sterntaler* und *Die sieben Raben*. Die Brüder Jacob (1785–1863) und Wilhelm Grimm (1786–1859) waren Sprachwissenschaftler und Sammler von Märchen, sie gelten als Mitbegründer der Germanistik.

Die folgenden Dokumente zeigen in Auswahl die Anlehnungen Büchners an literarische Vorlagen. Ausführlich dokumentiert sind Büchners Auseinandersetzungen mit Jakob Reinhold Michael Lenz, dem Autor der *Soldaten*. In Goethes *Faust I* findet Büchner die Anregung zur Verführungshandlung, den Gewissensqualen der Frau sowie einzelne Schauermotive. (Ausführliche Darstellung der punktuellen und strukturellen Anlehnungen in *Erläuterungen und Dokumente*, S. 237–241).

Ausgehend von den literarischen Quellen dienen die Auszüge aus Büchners Historiendrama *Dantons Tod* und das sogenannte »Kunstgespräch« aus seiner Novelle *Lenz* der Auseinandersetzung mit Büchners poetischer Position. Darüber hinaus bietet das Kapitel Dokumente, die als Grundlage zur Analyse der dramatischen Form und der sprachlichen Besonderheiten dienen können.

5.1 Vergleich mit Jakob Michael Reinhold Lenz, *Die Soldaten*

»Eine Gruppe junger adliger Offiziere stellt Marie nach, der Tochter des ›Galanteriewarenhändlers‹ Wesener, die bereits dem Tuchhändler Stolzius versprochen ist. Am Ende der Handlung ist die Familie in den Bankrott getrieben und Marie zu Bettelei und Prostitution gezwungen. Ihr Verlobter, der sich als Soldat hat anwerben lassen, vergiftet den Verführer und danach sich selbst. Motive aus den ›Soldaten‹, die in Büchners ›Woyzeck‹ wiederkehren, sind:

a) die Verführung einer bereits mit einem anderen Mann liierten
Frau durch Werbungsgeschenke,

b) der Neid der Offiziere auf den ›Verlobten‹,

c) die Vorbereitung und Ausführung des Mordes durch den be-
trogenen Mann,

d) die Episodenfigur eines ›zwanghaften Philosophen‹.

Nicht minder wichtig als diese motivlichen Anregungen waren für
Büchner die für Jakob Lenz charakteristische Form der Kurzszene
und die von ihm entwickelte Technik, wichtige psychische Ab-
läufe weniger durch sprachliche als durch gestische Mittel auszu-
drücken.

a) Verführung
Leutnant Desportes hat mit Marie eine Theateraufführung be-
sucht und ihr eine ›Zitternadel‹ geschenkt. Marie berichtet davon
(Szene I/5) und versinkt wie Büchners Marie in H 4,4 über dem
Werbegeschenk in Träumereien (Szene I/6). Wie diese wird sie er-
tappt, wie diese besiegt sie am Ende ihr schlechtes Gewissen. [...]

b) Eifersucht der Offiziere auf den ›Verlobten‹
Beide Autoren betonen die Langeweile im Leben der Offiziere
(vgl. H 4,5), deren zwanghaftes Nachdenken und Sprechen über
Sexualität, ihren Neid auf die erotischen Erfolge anderer (vgl.
ebd.) und die Freude, die Erfolgreicheren als Betrogene vorführen
zu können (vgl. H 2,7). Lenz zeigt diese Konstellation in der
Szene II/2, in der Maries Verlobter Stolzius die Offiziere im Café
besucht. Nach verlegenem Reden über Wetter und Gesundheit
führen die Offiziere das Gespräch auf das eigentliche Thema: ›Wie
befindet sich Ihre Jungfer Braut.‹ Auf klare Andeutungen, daß
Marie ›in der Stille fortreisen will‹, reagiert Stolzius mit Zusam-
menbruch und Flucht. [...]

c) Mordplan und Mord
In einer für das bürgerliche Trauerspiel ungewöhnlichen Variante
zeigt Lenz, wie der betrogene Verlobte an Rache zu denken beginnt (Szene III/2) und wie er schließlich das Gift kauft, mit dem
er den Verführer ermordet (IV/11). Büchner erhielt von hier folgende Anregungen: Ermahnung zum Einschlafen (vgl. H 1,7),
Abtun der Frau als ›das Mensch‹ (vgl. H 4,10 und H 1,4), Schwä-
cheanfall nach scheinhaftem Aufbegehren (vgl. H 4,11 und
H 4,14), Charakterisierung als *ganz kalt* im Zusammenhang mit

der sich formenden Absicht zum Mord (vgl. H 1,8), die Gewißheit der Tat zu einem noch unbestimmten Termin (vgl. H 1,9 und H 4,14), Mißverstehen der Mordabsicht als Fieberdelirium des Helden (vgl. H 4,13 und öfter).« 50

Burghard Dedner: Erläuterungen und Dokumente. Georg Büchner: Woyzeck. Unter Mitarb. von Gerald Funk und Christian Schmidt. Stuttgart: Reclam, 2000 [u. ö.]. S. 227–233. [Ausschnitte.]

5.2 Zur 19. Szene: Brüder Grimm, *Die Sterntaler*

»Die Sterntaler. Q

Es war einmal ein kleines Mädchen, dem war Vater und Mutter gestorben, und es war so arm, dass es kein Kämmerchen mehr hatte darin zu wohnen und kein Bettchen mehr darin zu schlafen und endlich gar nichts mehr als die Kleider auf dem Leib und ein 5 Stückchen Brot in der Hand, das ihm ein mitleidiges Herz geschenkt hatte. Es war aber gut und fromm. Und weil es so von aller Welt verlassen war, gieng es im Vertrauen auf den lieben Gott hinaus ins Feld. Da begegnete ihm ein armer Mann, der sprach ›ach, gib mir etwas zu essen, ich bin so hungerig.‹ Es reichte ihm 10 das ganze Stückchen Brot und sagte ›Gott segne dir's‹ und gieng weiter. Da kam ein Kind das jammerte und sprach ›es friert mich so an meinem Kopfe, schenk mir etwas, womit ich ihn bedecken kann.‹ Da tat es seine Mütze ab und gab sie ihm. Und als es noch eine Weile gegangen war, kam wieder ein Kind und hatte kein 15 Leibchen an und fror: da gab es ihm seins: und noch weiter, da bat eins um ein Röcklein, das gab es auch von sich hin. Endlich gelangte es in einen Wald, und es war schon dunkel geworden, da kam noch eins und bat um ein Hemdlein, und das fromme Mädchen dachte ›es ist dunkle Nacht, da sieht dich niemand du kannst 20 wohl dein Hemd weg geben‹, und zog das Hemd ab und gab es auch noch hin. Und wie es so stand und gar nichts mehr hatte, fielen auf einmal die Sterne vom Himmel, und waren lauter harte blanke Taler: und ob es gleich sein Hemdlein weg gegeben, so hatte es ein neues an und das war vom allerfeinsten Linnen. Da 25 sammelte es sich die Taler hinein und war reich für sein Lebtag.«

Brüder Grimm: Die Sterntaler. In: B. G.: Kinder- und Hausmärchen. Ausgabe letzter Hand mit den Originalanmerkungen der Brüder Grimm. Hrsg. von Heinz Rölleke. Bd. 2. Stuttgart: Reclam, 1980 [u. ö.]. S. 256 f.

5.3 Büchners poetische Position: Auszug aus *Lenz*

Q »Über Tisch war Lenz wieder in guter Stimmung, man sprach
von Literatur, er war auf seinem Gebiete; die idealistische Periode
fing damals an, Kaufmann war ein Anhänger davon, Lenz wider-
sprach heftig. Er sagte: Die Dichter, von denen man sage, sie geben
5   die Wirklichkeit, hätten auch keine Ahnung davon, doch seien sie
immer noch erträglicher, als die, welche die Wirklichkeit verklären
wollten. Er sagte: Der liebe Gott hat die Welt wohl gemacht wie
sie sein soll, und wir können wohl nicht was Besseres klecksen,
unser einziges Bestreben soll sein, ihm ein wenig nachzuschaffen.
10   Ich verlange in allem Leben, Möglichkeit des Daseins, und dann
ist's gut; wir haben dann nicht zu fragen, ob es schön, ob es hässlich ist, das Gefühl, dass was geschaffen sei, Leben habe, stehe über
diesen beiden, und sei das einzige Kriterium in Kunstsachen. Übrigens begegne es uns nur selten, in Shakespeare finden wir es und
15   in den Volksliedern tönt es einem ganz, in Göthe manchmal entgegen. Alles übrige kann man ins Feuer werfen. Die Leute können
auch keinen Hundsstall zeichnen. Da wolle man idealistische Gestalten, aber alles, was ich davon gesehen, sind Holzpuppen. Dieser Idealismus ist die schmählichste Verachtung der menschlichen
20   Natur. Man versuche es einmal und senke sich in das Leben des
Geringsten und gebe es wieder, in den Zuckungen, den Andeutungen, dem ganzen feinen, kaum bemerkten Mienenspiel; er hätte
dergleichen versucht im ›Hofmeister‹ und den ›Soldaten‹. Es sind
die prosaischsten Menschen unter der Sonne; aber die Gefühlsader
25   ist in fast allen Menschen gleich, nur ist die Hülle mehr oder weniger dicht, durch die sie brechen muss. Man muss nur Aug und
Ohren dafür haben. Wie ich gestern neben am Tal hinaufging, sah
ich auf einem Steine zwei Mädchen sitzen, die eine band ihre
Haare auf, die andre half ihr; und das goldne Haar hing herab, und
30   ein ernstes bleiches Gesicht, und doch so jung, und die schwarze
Tracht und die andre so sorgsam bemüht. Die schönsten, innigsten
Bilder der altdeutschen Schule geben kaum eine Ahnung davon.
Man möchte manchmal ein Medusenhaupt sein, um so eine
Gruppe in Stein verwandeln zu können, und den Leuten zurufen.
35   Sie standen auf, die schöne Gruppe war zerstört; aber wie sie so
hinabstiegen, zwischen den Felsen war es wieder ein anderes Bild.
Die schönsten Bilder, die schwellendsten Töne, gruppieren, lösen
sich auf. Nur eins bleibt, eine unendliche Schönheit, die aus einer

Form in die andre tritt, ewig aufgeblättert, verändert, man kann sie aber freilich nicht immer festhalten und in Museen stellen und auf Noten ziehen und dann alt und jung herbeirufen, und die Buben und Alten darüber radotieren und sich entzücken lassen. Man muss die Menschheit lieben, um in das eigentümliche Wesen jedes einzudringen, es darf einem keiner zu gering, keiner zu hässlich sein, erst dann kann man sie verstehen; das unbedeutendste Gesicht macht einen tiefern Eindruck als die bloße Empfindung des Schönen, und man kann die Gestalten aus sich heraustreten lassen, ohne etwas vom Äußern hineinzukopieren, wo einem kein Leben, keine Muskeln, kein Puls entgegen schwillt und pocht. Kaufmann warf ihm vor, dass er in der Wirklichkeit doch keine Typen für einen Apoll von Belvedere oder eine Raphaelische Madonna finden würde. Was liegt daran, versetzte er, ich muss gestehen, ich fühle mich dabei sehr tot, wenn ich in mir arbeite, kann ich auch wohl was dabei fühlen, aber ich tue das Beste daran. Der Dichter und Bildende ist mir der liebste, der mir die Natur am wirklichsten gibt, so dass ich über seinem Gebild fühle, alles übrige stört mich.«

> Georg Büchner: Lenz. Studienausgabe. Hrsg. von Ariane Martin.
> Stuttgart: Reclam, 2017 [u. ö.]. S. 17–19.

5.4 Büchners poetische Position: *Dantons Tod*

»CAMILLE. Ich sage euch, wenn sie nicht alles in hölzernen Kopien bekommen, verzettelt in Theatern, Konzerten und Kunstausstellungen, so haben sie weder Augen noch Ohren dafür. Schnitzt einer eine Marionette, wo man den Strick hereinhängen sieht, an dem sie gezerrt wird und deren Gelenke bei jedem Schritt in fünffüßigen Jamben krachen, – welch ein Charakter, welche Konsequenz! Nimmt einer ein Gefühlchen, eine Sentenz, einen Begriff und zieht ihm Rock und Hosen an, macht ihm Hände und Füße, färbt ihm das Gesicht und lässt das Ding sich drei Akte hindurch herumquälen, bis es sich zuletzt verheiratet oder sich totschießt – ein Ideal! Fiedelt einer eine Oper, welche das Schweben und Senken im menschlichen Gemüt wiedergibt wie eine Tonpfeife mit Wasser die Nachtigall – ach, die Kunst!

Setzt die Leute aus dem Theater auf die Gasse: ach, die erbärmliche Wirklichkeit! Sie vergessen ihren Herrgott über seinen

schlechten Kopisten. Von der Schöpfung, die glühend, brausend
und leuchtend, um und in ihnen, sich jeden Augenblick neu ge-
biert, hören und sehen sie nichts. Sie gehen ins Theater, lesen
20 Gedichte und Romane, schneiden den Fratzen darin die Gesichter nach und sagen zu Gottes Geschöpfen: wie gewöhnlich! [...]
DANTON. Und die Künstler gehn mit der Natur um wie David, der
im September die Gemordeten, wie sie aus der Force auf die
Gasse geworfen wurden, kaltblütig zeichnete und sagte: ich er-
25 hasche die letzten Zuckungen des Lebens in diesen Bösewich-
tern.«

> Georg Büchner: Dantons Tod. Ein Drama. Stuttgart: Reclam, 2002 [u. ö.].
> S. 37 f. [II,3.]

5.5 Büchners poetische Position: Brief an die Eltern

Q

»Straßburg, 28. Juli 1835.

[...] der dramatische Dichter ist in meinen Augen nichts, als ein
Geschichtschreiber, steht aber ü b e r Letzterem dadurch, dass er
uns die Geschichte zum zweiten Mal erschafft und uns gleich un-
5 mittelbar, statt eine trockne Erzählung zu geben, in das Leben einer Zeit hinein versetzt, uns statt Charakteristiken Charaktere,
und statt Beschreibungen Gestalten gibt. Seine höchste Aufgabe
ist, der Geschichte, wie sie sich wirklich begeben, so nahe als möglich zu kommen. Sein Buch darf weder s i t t l i c h e r noch u n s i t t l i-
10 c h e r sein, als die G e s c h i c h t e s e l b s t ; aber die Geschichte ist
vom lieben Herrgott nicht zu einer Lektüre für junge Frauenzim-
mer geschaffen worden, und da ist es mir auch nicht übel zu nehmen, wenn mein Drama ebenso wenig dazu geeignet ist. [...]
Der Dichter ist kein Lehrer der Moral, er erfindet und schafft
15 Gestalten, er macht vergangene Zeiten wieder aufleben, und die
Leute mögen dann daraus lernen, so gut, wie aus dem Studium der
Geschichte und der Beobachtung dessen, was im menschlichen
Leben um sie herum vorgeht. Wenn man s o wollte, dürfte man
keine Geschichte studieren, weil sehr viele unmoralische Dinge
20 darin erzählt werden, müsste mit verbundenen Augen über die
Gasse gehen, weil man sonst Unanständigkeiten sehen könnte,
und müsste über einen Gott Zeter schreien, der eine Welt erschaf-
fen, worauf so viele Liederlichkeiten vorfallen. Wenn man mir üb-

rigens noch sagen wollte, der Dichter müsse die Welt nicht zeigen wie sie ist, sondern wie sie sein solle, so antworte ich, dass ich es nicht besser machen will, als der liebe Gott, der die Welt gewiss gemacht hat, wie sie sein soll. Was noch die sogenannten Ideal-dichter anbetrifft, so finde ich, dass sie fast nichts als Marionetten mit himmelblauen Nasen und affektiertem Pathos, aber nicht Menschen von Fleisch und Blut gegeben haben, deren Leid und Freude mich mitempfinden macht, und deren Tun und Handeln mir Abscheu oder Bewunderung einflößt. Mit einem Wort, ich halte viel auf Goethe und Shakspeare, aber sehr wenig auf Schiller.«

Georg Büchner: Die Briefe. Hrsg. von Ariane Martin. Stuttgart: Reclam, 2011. S. 32–34.

5.6 Zur Sprache des *Woyzeck*

»Wie sie leiden, das sagen die Figuren der hohen Tragödie in den herrlichsten Worten. Umlagert von Gefahren, in äußerster Be-drängnis, reden sie so ausführlich und geschliffen, daß der Zu-schauer fühlt: besser könnte man es nicht sagen, wie lange man sich auch bedächte. Eine solche Geistesgegenwart und Eloquenz ist ganz und gar unnatürlich, wie sich von selbst versteht; gerade dazu wäre der wirklich Leidende am wenigsten imstande. Diese Gestalten blicken auf sich selbst und die Situation, in der sie um-kommen, von der Höhe des Bewußtseins wie aus einer sicheren Distanz herab. In Reflexionsmonologen durchleuchten sie ihre Beweggründe und das Prinzip und Recht, für das sie eintreten, bis auf den Grund. Und in den Dialogen argumentieren tödlich Ver-feindete miteinander, selbst Machthaber mit ihren Opfern, in ei-nem gemeinsamen Denkraum, einer gemeinsamen Sprache. Sie lie-fern einander Wortduelle, deren subtile Dialektik das Reden der tödlich Bedrohten als ›ästhetischen Schein‹ erkennen läßt. – Was Büchner auch immer gegen Schillers Pathos vorbringen mag, Tat-sache ist, daß noch *Dantons Tod* eine rhetorische Tragödie ist. Man schlage nur IV,5 auf und betrachte die Wortgirlanden, das exzes-sive Sprechen der Todgeweihten, wenige Augenblicke, bevor sie zum Schafott gekarrt werden.

Der *Woyzeck* ist auch sprachlich eine andere Welt. Wir hören zwei Sprachen: die der Herren und die der Knechte. Auch sprach-lich haben die Herren das Heft in der Hand und reden unablässig

25 auf ihre Arbeitskraft ein. Der Doktor, der seinen Leibeigenen
nach Lust und Laune zusammenstaucht, ihn geradezu sprachlich
niedermacht (vgl. H4,8 [...]), verschont ihn nicht einmal mit wissenschaftlichen Erklärungen und mit Ausblicken in die Meta-
physik. Die Sprache dieses Peinigers ist durchtränkt von Hochmut

30 und Zynismus. Die des Hauptmanns dagegen atmet Herablassung
– wenn er seinen ›Gehherda‹ nicht gerade bedroht und sich an dessen Panik weidet (wie z. B. H2,7 [...]). Aber auch in dem gemüt-
lichen Gefasel darf man die Herrschaft nicht übersehen: diese
Herablassung setzt, wie gesagt, die völlige Entmündigung des an-

35 dern schon voraus.

Daß im *Woyzeck* der Dialekt und die mit phonetischer Genau-
igkeit wiedergegebene Volkssprache mehr als naturalistisches Ko-
lorit sind, daß diese Sprache der Abdruck der ›großen Klasse‹ ist
und sich darin die Bewußtseinsverfassung der Ausgebeuteten und

40 Unterdrückten abbildet, ist nicht zu verkennen. Die von Affekt-
wellen – vor allem von Kummer, Angst und Verzweiflung – be-
wegte Sprache Woyzecks, Maries und Andres' ist nicht ›Natur‹;
wir hören aus ihrem Munde nicht ›Naturlaute‹, von denen Rous-
seau und Herder mit Blick auf die ›Stimmen der Völker‹, die

45 Volkssprachen, geträumt haben. Woyzecks schwere Zunge ist
nicht ›natürlich‹; ihm hat es die Sprache verschlagen, und dieses
›es‹ ist die Knechtung. Seine Sprache und seine Sprachnot sind
Ausdruck eines armen, enteigneten Denkens. Für ihn, den Glie-
dermann, ist das ›Ja wohl‹ vorgesehen und nichts darüber. Was er

50 von sich aus, ungefragt, zu sagen hätte, hat er hinunterzuschlucken
(vgl. z. B. H4,8 [...], wo ihm der Doktor das Wort ›Natur‹ aus dem
Mund reißt und dieses Wort, das der ›Bestie‹ nicht zusteht, förm-
lich ›zerstampft‹, wie Ullman treffend bemerkt hat[3]). In dieser Tragödie werden die tiefsten Beweggründe, Hemmungen und Ängste

55 nicht ›expliziert‹. Das Ausgesprochene treibt auf der Oberfläche
des Unausgesprochenen wie vereinzelte Eisschollen in einer wei-
ten schwarzen Wasserfläche. Der Dialog, Lebensnerv der hohen
Tragödie von Sophokles bis Schiller, ist im *Woyzeck* an einer un-
teren Grenze angelangt. Auch die Dialoge der Unterdrückten un-

60 tereinander haben eher den Charakter einer Induktion (im phy-
sikalischen Sinn) als den eines Austausches. Ihre Kommunikation

---

3 Bo Ullman, *Die sozialkritische Thematik im Werk Georg Büchners und ihre
Entfaltung im Woyzeck*, Stockholm 1972, S. 115.

ist schwer behindert, zerfahren und verstört, häufig vorsprachlich. Woyzecks Stammeln und Stottern, Sprachunfälle (wie die Bruchlandung H4,8 [...], als er es unternimmt, ›Natur‹ zu definieren), sein plötzliches Abbrechen, Versanden und Versickern, psychotische Wiederholungszwänge (wie das ›stich todt‹ der ›Stimmen‹) – diese Sprache der ›Zuckungen‹ ist der Spiegel der Entfremdung, Echo der Schläge und Einschläge. Man könnte eine lückenlose Reihe von Übergängen aufzeigen von kaum bemerkbaren Sprachhemmungen bis zur ver-rückten Sprache psychotischer Schübe.« 70

Alfons Glück: Woyzeck. Ein Mensch als Objekt. In: Interpretationen. Georg Büchner: Dantons Tod, Lenz, Leonce und Lena, Woyzeck. Durchges. Ausg. Stuttgart: Reclam, 2005 [u. ö.]. S. 209–211. [Zu den Siglen s. S. 41.]

5.7 Zur dramatischen Struktur des *Woyzeck*

»Die Szenen gleichen Momentaufnahmen, sind (scheinbar) zufällige Ausrisse, Szenen eines Geschehens, das weitgehend im dunkeln bleibt. Sie sind aneinandergereiht, folgen nicht *aus*einander; ihr Gefüge ist parataktisch. Dennoch ist das Geschehen nicht ›offen‹, wie immer wieder behauptet wird (›offen‹ im Sinn von: ein 5 Ende, aber kein Schluß, offener Ausgang, ›der Vorhang zu und alle Fragen offen‹). Wolfgang Wittkowski hat den Sachverhalt treffend gekennzeichnet:

Noch immer kann man zwar hören, Büchner ordne seine Szenen, ohne nach ihrem Kausalzusammenhang zu fragen. Der geradezu erbitterte Kampf um ihre Plazierung in den verschiedenen 10 Ausgaben beweist aber längst, daß man im Gegenteil mit einer strikt linearen Folge rechnet. Die Theorie, die Szenen stünden statt dessen sozusagen im Kreis um das Thema herum, jede autonom und das ganze Drama in sich enthaltend, verdankt ihre Langlebigkeit hauptsächlich ihrem selbstgenügsamen begrifflich- 15 bildhaften Reiz.[4]

Die Handlung des *Woyzeck*-Fragments ist final, aber final nicht in einem logisch-deduktiven Sinn (wie die ›aristotelische‹ Tragödie, etwa der *König Ödipus*); die Finalität des *Woyzeck* hat vielmehr einen sprunghaften Charakter, wird durchquert von Rissen, 20 durchkreuzt von irrationalen Brüchen und Abbrüchen. Deshalb

4 [Wolfgang] Wittkowski [*Georg Büchner. Persönlichkeit. Weltbild. Werk*, Heidelberg 1978], S. 289.

strebt aber die ›Handlung‹ – richtiger: der Ablauf – nicht weniger notwendig und unaufhaltsam einem ›vorbestimmten‹ Ende zu.

25 Wäre auch ein anderer Ausgang möglich? Die Möglichkeiten reduzieren sich auf folgende: Woyzeck ermordet einen seiner Peiniger (die Szenen H3,1 und H4,14 [...] zeigen, daß er dazu nicht imstande sein würde); oder Ermordung seiner Geliebten, die ihn hintergangen hat; Selbstmord; Wahnsinn (etwa ein Erstarren und

30 Verlöschen wie im *Lenz*, ein emotionaler Tod). Schon die scheinbar nächstliegende Möglichkeit, daß eben alles so weiterginge, ist ausgeschlossen: nach dem neunzigtägigen Menschenversuch ist Woyzeck in einem Zustand, in dem er keine Woche mehr durchstehen könnte. Er gleitet von Anfang an (man denke an die psy-

35 chotische Attacke gleich in der ersten Szene H4,1 [...]) eine schiefe Ebene hinab (worüber man sich durch – scheinbar – gemütliche Auftritte wie die Rasierszene nicht täuschen lassen darf). Und diese Abwärtsbewegung geht mit dem ›immer zu‹ in H4,11 [...] in den freien Fall über. – Auch wenn der Zuschauer den katastro-

40 phalen Charakter dieser abschüssigen Bewegung sich nicht begrifflich klarmacht, so fühlt er doch schmerzhaft-bestimmt, daß da ein verlorener Mann vor ihm steht. Die ersten Worte, die wir aus Woyzecks Mund hören, sind die von einem ›rollenden Kopf‹ – und es besteht kein Zweifel, *wessen* Kopf rollen wird. Zahlreiche

45 Vordeutungen, so der leitmotivische Gebrauch von Worten wie ›Blut‹, die gleich roten Fäden die Szenen durchziehen und verknüpfen, verstärken noch den Eindruck des Fatalen, die Ahnung, alles sei ›abgekartet‹ und müsse ein Ende mit Schrecken nehmen. Schon mit dem ersten Satz, den wir auf dem Schauplatz hören: ›Ja

50 Andres; den Streif da über das Gras hin, da rollt Abends der Kopf‹, steht, wie gesagt, das Schafott im Hintergrund als der Fluchtpunkt aller Perspektiven. – Daß die Finalität in einem *Fragment* so durchschlagen kann, ist doch schon ein Befund für sich! Die Differenz der finalen Struktur des *Woyzeck* zur finalen Struk-

55 tur ›aristotelischer‹ Tragödien hat ihren Grund im Unterschied der dramatisierten *Lebenswirklichkeiten*: hier die Aktionen selbstmächtiger Individuen von höchster Bewußtheit – dort das Elend eines herumgestoßenen Paupers, eines Getriebenen, der, nahe an der Grenze zur Bewußtlosigkeit, unbegriffenen Zwängen folgt

60 und nicht mehr aus noch ein weiß. Arbeitshetze, gnadenlose Repression, ein Menschenversuch und Demütigungen, wie sie noch an keiner tragischen Figur exekutiert wurden – ein solcher Grad

von Selbstentfremdung ist eben nicht als logisches Kontinuum dramatisierbar. Das dramatische Diskontinuum ist die Übersetzung eines zerhackten Lebens, der Stöße der Herrschaft und der psychotischen Reaktionen des Opfers. Diese Struktur ist kein avantgardistisches Kunstprogramm, kein ›absurdes Theater‹ avant la lettre. Es handelt sich vielmehr um die Erscheinung des Menschen als Objekt und Mittel (Arbeitskraft) im Medium einer ›dramatischen‹ Handlung – so dramatisiert sich proletarische Existenz, und so dramatisiert sich ein psychotischer Prozeß. [...]

Büchner hat gelegentlich darauf hingewiesen, was für ihn die grundlegende Voraussetzung der Wirkung von Kunst und speziell der Tragödie ist: das ›Mitempfinden‹ (Kunstgespräch im *Lenz* und Brief vom 28. Juli 1835). Es ist also nicht gut möglich, die Wirkung[5], die dieser Dichter im Auge hat, mit Kategorien zu konstruieren, die sich von Brechts ›Verfremdungs-Effekt‹ herschreiben. Eher fände man in Hamlets Rede an die Schauspieler eine Orientierung. Mitleid und Empörung (›Abscheu‹, 28. Juli 1835) sind die *emotionalen* Auslöser: ohne Mitleid mit den Opfern und Abscheu vor den Unterdrückern käme eine tiefere Wirkung nicht zustande. Sie sind aber noch nicht das Ziel. Ziel ist es, die Ursachen solcher Leiden, solcher mitleiderregender Zustände zu *erkennen*, der empörenden Wirklichkeit auf den Grund zu kommen, so daß die Wirklichkeit von Begriffen wie ›Ausbeutung‹ und ›Unterdrückung‹ mit Händen greifbar wird: im dramatischen Medium auf einer noch weit höheren Stufe der Konkretion als im *Hessischen Landboten*, wo sie die Instrumente der Analyse sind. Je mehr man sich in den *Woyzeck* vertieft, desto mehr gewinnt man den Eindruck, aus diesem Fall könnte man ›alles‹ lernen. Nicht, weil die etwas über dreißig Druckseiten der Fragmente mystisch ›unendlich‹ wären, sondern weil sie einen tatsächlichen Fall so durchleuchten und durchforschen, daß kein Rest bleibt; und zweitens, weil der Fall Woyzeck kein Einzelfall, sondern ein Massenschicksal ist; an ihm wird das Gesetz erkennbar, das nicht nur Woyzeck regiert.«

Ebd. S. 211–215.

---

5 Wenn ich hier von der Wirkung auf den Zuschauer spreche, ist das natürlich nicht zu verwechseln mit der durchschnittlichen Empirie dieser oder jener Aufführung.

6. Rezeption und mediale Wirkung

Georg Büchner wurde nur 23 Jahre alt und konnte daher lediglich ein schmales Werk hinterlassen. Dennoch gehört er zu den Großen der deutschen Literatur. Der angesehenste Literaturpreis Deutschlands trägt seit 1951 seinen Namen: Der »Georg-Büchner-Preis« wird jährlich in Darmstadt verliehen. Büchners Dramen gehören zu den meistgespielten auf den Bühnen. Der Autor des *Woyzeck* und des *Hessischen Landboten*, in seiner Zeit steckbrieflich gesucht, ist heute kanonisierter (Schul-)Autor, er ist Teil unseres kulturellen Gedächtnisses.

Die folgenden Dokumente aus dem 19. und 20. Jahrhundert ermöglichen Zugänge zur Deutung des Dramenfragments und bieten in der Zusammenschau einen Einblick in die Wirkungsgeschichte des *Woyzeck*.

6.1 Karl Emil Franzos, »Wozzeck«

Q

»[...] Die Verhältnisse, unter denen Büchner den ›Wozzeck‹ schrieb, sind der alleinige Schlüssel zu einer Eigentümlichkeit des Werkes, die sonst ganz rätselhaft wäre. Neben den genialen, tragischen Szenen finden sich da, wie erwähnt, bizarre, teils drollige,
5 teils satyrische, teils zynische Exkurse, die wenig zum Ganzen passen. Sie sind fast sämtlich c h i r u r g i s c h - a n a t o m i s c h e n Inhalts. Ihre Existenz wird nur dann begreiflich, wenn wir erwägen, dass Büchner den ›Wozzeck‹ zu einer Zeit schrieb, wo er immer ›am Tage mit dem Skalpell saß‹ und wo ›alle seine Gedanken in
10 Spiritus schwammen.‹ Was ihn fortwährend beschäftigte, ging ihm eben auch in seinen poetischen Freistunden nicht aus dem Kopfe, und der geniale Mensch empfand das Bedürfnis, auch einmal phantastisch und satyrisch mit jenen Dingen zu spielen, mit denen er sich in bitterem Ernste bis zum Überdrusse plagen musste. So
15 ist die Figur des Doktors entstanden, der über den linken Backenzahn eines Infusoriums mit Hülfe des Mikroskops gelehrte Forschungen anstellt, der nur dann außer sich gerät, wenn ihm ›ein Proteus unpässlich wird‹, der mit dem armen Helden so überaus absonderliche Experimente anstellt. Die Figur ist breit, mit vielem
20 Witz und vielem Behagen ausgemalt. Das ist an sich ein Vorzug und nur relativ etwas störend. Aber man darf nicht vergessen, dass

›Wozzeck‹ ein Fragment ist; nach der Vollendung hätte sich diese Figur und Alles, was drum und dran hängt, nur eben als eine kleine, lustige Episode dargestellt. Mindestens ist das sehr wahrscheinlich. 25

Auch die Schwermut, die Büchner zu jener Zeit erfüllte – ihn quälten die Trennung von der Braut und Ahnungen eines frühen Todes – findet im Fragment ihren Ausdruck. Insbesondere aber geht durch dasselbe ein Hauch der politischen und sozialistischen Überzeugungen, welche ihn damals beseelten. Tiefstes Erbarmen 30 mit den Armen und Elenden erfüllte sein Herz und der glühendste Wunsch, ihnen zu helfen. Dieses Erbarmen ist denn auch der Grundton, welcher – oft bizarr, fast zynisch und dennoch so ergreifend! – die Volksszenen des ›Wozzeck‹ durchbebt. In knappsten Zügen findet sich da die beredte Schilderung der Not, welche 35 den Menschen in dumpfer Rohheit gebannt hält. ›Wenn ich ein vornehmer Herr wär'‹,klagt der Held, ›und könnt' vornehm reden, ich wollt' schon tugendhaft sein! Es muss was Schönes sein um die Tugend – aber ich bin ein armer Kerl!‹ Und kann sich die bittere Resignation des Armen erschütternder ausprägen, als in 40 dem Ausrufe: ›Ich glaub', wenn wir in den Himmel kämen, so müssten wir donnern helfen!‹ – ›Wir arme Leute!‹ Dieser Stoßseufzer ist der schmerzliche Refrain der Dichtung.

Aber nicht bloß von großer Liebe für das Volk zeugt ›Wozzeck‹, sondern auch von genauester Kenntnis des Volkslebens. Ein 45 Bild des Volkslebens zu bieten, das – und das allein! – war sicherlich der Zweck der Dichtung. An ein regelrechtes Trauerspiel dachte Büchner auch diesmal nicht, wie nie vorher. Formregeln waren ihm überhaupt höchst gleichgültig. Aber wie er nicht aus Mutwillen, sondern nur aus innerster Notwendigkeit die Gesetze 50 seines Staates verletzt hatte, so trieben ihn auch nur seine heiligsten Überzeugungen von Zweck und Zielen des Poeten, sich über die Gesetze des Aristoteles hinwegzusetzen. Georg Büchner huldigte bedingungslos dem Realismus. Die Natur, die Wirklichkeit war ihm das ausschließliche Vorbild, und derjenige der größte 55 Poet, der die Wirklichkeit am Getreuesten nachschaffe. […] Was Büchner über die ›Soldaten‹ des Lenz sagt, passt auch auf die Gestalten in ›Wozzeck‹: ›Es sind die prosaischsten Menschen unter der Sonne, aber die Gefühlsader ist fast in allen Menschen gleich; nur ist die Hülle mehr oder weniger dicht, durch die sie brechen 60 muss. Man muss nur Aug' und Ohr dafür haben. Es darf Einem

Keiner zu gering, Keiner zu hässlich sein, erst dann kann man sie verstehen. Das unbedeutendste Gesicht macht einen tieferen Eindruck als die bloße Empfindung des Schönen.‹«

Wozzeck. Ein Trauerspiel-Fragment von Georg Büchner. Mitgetheilt von Karl Emil Franzos. [Einleitung.] In: Mehr Licht! Eine deutsche Wochenschrift für Literatur und Kunst. Nr. 1. 5. Oktober 1878. S. 6 f.

6.2 Hans Mayer, *Georg Büchner und seine Zeit*

Q »[...] Büchner schwankt zwischen Wunsch und Hoffnung zur Freiheit – und Durchdrungensein von der Gebundenheit. Ergreifend formulierte es jener Brief an die Braut, der ein Programm, rückhaltloses Aussprechen der zutiefst quälenden Fragen ist: ›Ich
5 finde in der Menschennatur eine entsetzliche Gleichheit, in den menschlichen Verhältnissen eine unabwendbare Gewalt, allen und keinem verliehen!‹ Und weiter: ›Das Muß ist eines von den Verdammungsworten, womit der Mensch getauft worden. Der Ausspruch: es muß ja Ärgernis kommen, aber wehe dem, durch den es
10 kommt – ist schauderhaft.‹ Und so endet jenes Bekenntnis in der Frage nach der Kraft und Eigenart dessen, ›was in uns lügt, mordet, stiehlt‹.

So ist im Danton die Problemstellung. Er greift sie auf bis in die wörtliche Wiederholung jener Briefstelle hinein, und in den nächt-
15 lichen Visionen und qualvollen Betrachtungen Dantons erscheinen sie wieder, das Wort vom Ärgernis und der Ausruf: ›Wer will der Hand fluchen, auf die das Muß gefallen? Wer hat das Muß gesprochen, wer? Was ist das, was in uns hurt, lügt, stiehlt und mordet?‹

20 Wieder aber steht die gleiche Frage über dem Drama vom Mörder Franz Woyzeck, der seine Geliebte erstach. Wieder ist gefragt, im nackten Handeln des Einzelnen, jenseits aller kollektiven Aktion: ›Was ist das, was in uns hurt, lügt, stiehlt und mordet?‹ Neben der gesellschaftlichen Determiniertheit der politischen
25 Agitation, neben der ursächlichen Bestimmtheit und inneren Gebundenheit ganzer Geschichtsepochen steht die Gebundenheit der individuellen Tat, des Verbrechens.

Mag sein, daß es zunächst das klinische Bild des historischen Woyzeck war, das Büchner bei der Lektüre des Gutachtens Cla-
30 rus' fesselte, die Wiedergabe der Visionen, Stimmen, Angstvor-

stellungen von Freimaurern und dergleichen. Der Mediziner
Büchner mochte zunächst an der Krankengeschichte haften bleiben, wie er später durch Oberlins Bericht von Lenzens Weg in die
Umnachtung ergriffen wurde, – um auch diesem Stoff weit mehr
als die Darstellung klinischer Zustände abzugewinnen. Mag auch
sein, wie Viëtor in seiner schönen Woyzeckstudie andeutet[,] daß
die Erbitterung Büchners über jenen lehrhaften Bildungsdünkel
im selbstgefälligen Gutachten des Hofrats Clarus erste Antriebs-
kraft zur Beschäftigung mit dem Woyzeckstoff abgab, daß hier ein
›Gericht über die Richter‹ gehalten werden sollte. Allein die Blick-
richtung auf den Kriminalfall Woyzeck wechselt sogleich, wenn
neben die psychiatrische Anteilnahme auch die große Lebensfrage
nach Freiheit und Gebundenheit menschlichen Handelns, die
Frage des Determinismus gestellt wird. Sie bestimmt letztlich die
besondere Erfassung und Gestaltung des Woyzeckfalles durch
Büchner. Was treibt Woyzeck ins Verbrechen? – so wird hier gefragt. Die mögliche Antwort des Psychiaters: der Wahnsinn, kann
nicht gelten; sie löst nur die neue und tiefere Frage aus: und was
treibt diesen Menschen Woyzeck in die Verstrickung und Umnachtung des Geistes? Mit aller Schonungslosigkeit und Helligkeit
aber antwortet das Drama, indem sein Held die Antwort gleich-
sam vorlebt: die Armut, die ›Umstände‹ seines materiellen Lebens
treiben jenen Woyzeck in die Umdüsterung, in die Auflösung seiner Bindung zur Umwelt, ins Verbrechen. ›Es liegt in niemands
Gewalt, kein Dummkopf oder kein Verbrecher zu werden,‹ so
hatte der Woyzeckdichter in seiner großen Konfession aus Gießen
an die Eltern geschrieben. Sein Drama stellt den Satz in Handlung
und Vollführung dar. [...]

Die Frage nach dem, was ›in uns‹ das Verbrechen erzeugt, wird
mit brutaler Schärfe an das gesellschaftliche Sein, an die Antino-
mien des Besitzes und der Bildung verwiesen. Die Deutung
scheint ins Helle zu führen.

Aber sie führt sogleich zurück ins Dunkle. Der Hintergrund,
die geheime Triebkraft des Verbrechens wird entschleiert; allein es
bleibt die Frage nach der Natur und Macht jener sozialen Zustände, die ins Verderben treiben. Wer hat sie eingesetzt, wer kann
sie verändern, wenn es die Menschen nicht können? Welche Macht
verteilt die Schicksale, jene auf der Lichtseite, die der Moral und
des Besitzes froh sind, und jene im Schatten, die ins Verbrechen
getrieben werden, – wenn das ›Verbrechen‹ ist, was aus sozialer

Not und Kampf gegen unangreifbare Mächte geboren wurde? Und welcher Trost könnte diesen tödlich Verstrickten gespendet werden? Wenn nichts sichtbar und spürbar ist, was retten und än-dern könnte, so bleiben bloß Mitleid und Liebe zur leidenden

75 Kreatur. Davon aber ist das Herz dieses großen Dichters allezeit voll. Liebe zu den Entbehrenden und Leidenden ist ihm stets so selbstverständlich, Grundmotiv seines Lebens und Dichtens, wie ihr Gegenpol: der Haß gegen die Privilegien und Anmaßungen der Gebildeten und Besitzenden. Jener wundervolle Gießener Brief an

80 die Eltern vereinigte zum ersten Mal beide Motive. Neben das Bekenntnis zum Haß gegen jene, ›die die große Masse ihrer Brü-der ihrem verachtenden Egoismus opfern‹ tritt die Kraft mitlei-diger Liebe, die bekennt: ›Ich hoffe noch immer, daß ich leiden-den, gedrückten Gestalten mehr mitleidige Blicke zugeworfen, als

85 kalten vornehmen Herzen bittere Worte gesagt habe.‹ Und wenn Lenz in Büchners Novelle das Prinzip seines Dichtertums enthüllt und es heißt: ›Dieser Idealismus ist die schmählichste Verachtung der menschlichen Natur. Man versuche es einmal und senke sich in das Leben des Geringsten und gebe es wieder in den Zuckun-

90 gen, den Andeutungen, dem ganzen, feinen, kaum bemerkten Mienenspiel,‹ so wird auch hier nichts anderes ausgesprochen als Büchners Konfession, als das Grundmotiv auch des ›Woyzeck‹. Alle Liebe ihres Dichters umfaßt die Welt des Franz Woyzeck und der gleich ihm Gedrückten und Leidenden, die Welt der ›Natur‹;

95 aller Haß und enthüllende Hohn zeichnet die Moralischen und die Idealischen. Hier spürt man die höchste Einheit von Büchners Politik und Ästhetik, seines Lebens und Dichtens. Aber man spürt, bei allem Mitleiden, keinen wirklichen Trost, den der Dich-ter zu geben hätte. So bleibt die letzte Frage: jene nach dem Aus-

100 weg aus solchem Sein. Gibt es nur die Reaktion des Verbrechers? Nicht auch eine andere? Es handeln doch nicht alle Menschen in gleicher Lage wie Woyzeck. Der Weg führt zurück ins Dunkel. Über dem ganzen Werk könnte als Motto der Aufschrei Woyzecks stehen: ›Jeder Mensch ist ein Abgrund; es schwindelt einem, wenn

105 man hinabsieht.‹«

Hans Mayer: Georg Büchner und seine Zeit. Wiesbaden: Limes-Verlag, 1946. S. 328–335.

6.3 Elias Canetti, »Rede zur Verleihung des Georg-Büchner-Preises 1972«

»[...] Woyzeck, Soldat, wie der Aff des Marktschreiers ›unterste Stuf von menschliche Geschlecht‹, von Stimmen wie von Befehlen gehetzt, ein Gefangener, der frei herumläuft, zum Gefangenen vorbestimmt, auf Gefangenenkost gesetzt, immer dasselbe, Erbsen, vom Doktor zum Tier degradiert, der ihm zu sagen wagt: ›Woyzeck, der Mensch ist frei, in dem Menschen verklärt sich die Individualität zur Freiheit‹, und damit nicht mehr meint, als daß Woyzeck fähig sein müßte, sich den Harn zu verhalten, – Freiheit zur Ergebenheit in jede Art von Mißbrauch seiner menschlichen Natur, Freiheit zur Versklavtheit um dreier Groschen willen, die er für seine Fütterung mit Erbsen bekommt. Und wenn man staunend aus dem Mund des Doktors vernimmt: ›Woyzeck, Er philosophiert wieder‹, – wie die Huldigung des Budenbesitzers an das dressierte Pferd, – so reduziert sich diese Huldigung schon im nächsten Satz zu einer ›Aberratio‹ und im wieder nächsten, wissenschaftlich präzisiert, zu einer ›Aberratio mentalis partialis‹, mit Zulage. Der Hauptmann aber, der gute, gute Mensch, der sich gut vorkommt, weil es ihm zu gut geht, der sich vorm geschwinden Rasieren wie vor allem Geschwinden um der ungeheuren Zeit, um der Ewigkeit willen fürchtet, hält Woyzeck vor: ›Du denkst zu viel, das zehrt, du siehst immer so verhetzt aus.‹

Auf eine andere, verborgenere Weise hat Büchners Befassung mit den Einzellehren der Philosophen auf die Gestaltung des ›Woyzeck‹ miteingewirkt. Ich denke an die frontale Präsentation wichtiger Figuren, etwas, was man als ihre S e l b s t a n p r a n g e r u n g bezeichnen könnte.

Die Sicherheit, mit der sie alles ausschließen, was nicht sie selber ist, das aggressive Bestehen auf sich, bis in die Wahl ihrer Worte, der unbekümmerte Verzicht auf die eigentliche Welt, in der sie aber kräftig und gehässig um sich schlagen, – das alles hat etwas von der beleidigenden Selbstbehauptung der Philosophen. Schon in ihren ersten Sätzen stellen sich diese Figuren ganz dar. Der Hauptmann so gut wie der Doktor und erst recht der Tambourmajor erscheinen als Ausrufer ihrer eigenen Person. Höhnisch oder prahlerisch oder neidisch ziehen sie ihre Grenzen und ziehen sie gegen ein- und dasselbe verachtete Geschöpf, das sie unter sich sehen und das dazu da ist, ihnen als ein Unteres zu dienen.

Woyzeck ist das Opfer aller drei. Der angelernten Philosophie des Doktors, des Hauptmanns, hat er wahrhaftige Gedanken ent-
40 gegenzusetzen. S e i n e Philosophie ist konkret, an Angst und Schmerz und Anschauung gebunden. Er fürchtet sich, wenn er denkt[,] und die Stimmen, von denen er gehetzt ist, sind wirklicher als die Rührung des Hauptmanns über seinen Rock, der dahängt, und die unsterblichen Erbsen-Experimente des Doktors. Im Ge-
45 gensatz zu ihnen wird er nicht frontal präsentiert, von Anfang zu Ende besteht er aus lebendigen, oft unerwarteten Reaktionen. Da er immer ausgesetzt ist, ist er immer wach, und die Worte, die er in seiner Wachheit findet, sind noch Worte im Stande der Unschuld. Sie sind nicht zerrieben und mißbraucht, sie sind nicht Münze,
50 Waffe, Vorrat, es sind Worte, als wären sie eben entstanden. Selbst wenn er sie unbegriffen übernommen hat, gehen sie in ihm ihre eigenen Wege: die Freimaurer höhlen ihm die Erde aus: ›Hohl, hörst du? Alles hohl da unten! Die Freimaurer!‹

In wieviel Menschen ist die Welt im ›Woyzeck‹ aufgespalten! In
55 ›Dantons Tod‹ haben die Figuren noch vielzuviel gemein, von einer hinreißenden Beredsamkeit sind sie alle, und es ist keineswegs Danton allein, der Geist hat. Man mag das damit zu erklären versuchen, daß es eine beredte Zeit ist, und die Wortführer der Revolution, unter denen das Stück spielt, sind schließlich alle durch
60 den Gebrauch von Worten zu Ansehen gekommen. Aber dann erinnert man sich an die Geschichte der Marion – auch sie ein Plädoyer, wie es perfekter in ihrer Sache nicht zu denken wäre, und findet sich nicht ohne Widerstreben damit ab: ›Dantons Tod‹ ist ein Stück aus der Schule der Rhetorik, allerdings der unermeß-
65 lichsten dieser Schulen, der Shakespeares.

Von den Stücken anderer Schüler unterscheidet es sich durch Dringlichkeit und Rapidität, und durch eine besondere Substanz, wie es sie in der deutschen Literatur kein zweites Mal gibt, die aus Feuer und Eis zu gleichen Teilen gemischt ist. Es ist ein Feuer, das
70 einen zum Laufen zwingt, und ein Eis, in dem alles durchsichtig scheint, und man läuft, um Schritt mit dem Feuer zu halten, und verharrt, um ins Eis zu schauen.

Keine zwei Jahre später ist Büchner mit dem ›Woyzeck‹ der vollkommenste Umsturz in der Literatur gelungen: die Entde-
75 ckung des G e r i n g e n . Diese Entdeckung setzt Erbarmen voraus, aber nur wenn dieses Erbarmen verborgen bleibt, wenn es stumm ist, wenn es sich nicht ausspricht, ist das Geringe i n t a k t . Der

Dichter, der sich mit seinen Gefühlen spreizt, der das Geringe mit
seinem Erbarmen öffentlich aufbläst, verunreinigt und zerstört es.
Von Stimmen und von den Worten der Anderen ist Woyzeck ge- 80
hetzt, doch vom Dichter ist er unberührt geblieben. In dieser
Keuschheit fürs Geringe ist bis zum heutigen Tage niemand mit
Büchner zu vergleichen.«

Elias Canetti: Rede zur Verleihung des Georg-Büchner-Preises 1972. In:
Deutsche Akademie für Sprache und Dichtung. Jahrbuch 1972. Heidelberg/
Darmstadt: Schneider, 1973. S. 62–65. – Auch in: E. C.: Werke. [Bd. 6:]
Die Stimmen von Marrakesch. Das Gewissen der Worte. München / Wien:
Hanser, 1995. – Mit freundlicher Genehmigung des Carl Hanser Verlags.
© Carl Hanser Verlag GmbH & Co. KG, München.

6.4 Alfons Glück, »Der *Woyzeck*«

I.

»[...] Dem ›Woyzeck‹ liegt – wie dem ›Hessischen Landboten‹ –
ein System zugrunde: das System der Ausbeutung, Unterdrückung und Entfremdung. Ausbeutung ist der Zweck, Unterdrückung das Mittel, Entfremdung die Folge. 5
Ausbeutung: Seine Herren haben ihn restlos nutzbar gemacht.
Seine Existenz gleicht der eines Zugtiers. Es ist seine Armut, die
ihn ausliefert, und es ist die – im Menschenversuch ins Extrem
gesteigerte – entfremdete Arbeit, die ihn ruiniert. D a s ist das Fun-
dament seiner Tragödie – und nicht eine mystische Fatalität, die 10
über ›den‹ Menschen schlechthin verhängt wäre.
Unterdrückung: das Aggregat der Mittel, die für den System-
zweck Ausbeutung eingesetzt werden, die Herrschaft auf allen
Ebenen, vom Militärregiment bis zu den subtilen Techniken der
Bewußtseinslenkung. 15
Entfremdung: die Folgen der Ausbeutung und Unterdrückung
für die Objekte und Opfer des Systems, das, was es für den Füsilier und seinesgleichen bereithält, vom Hunger angefangen bis
zur Bewußtseinsverödung und zur Psychose und dem, was aus der
Psychose erwächst, dem Mord, dem Schafott und dem verwaist 20
zurückgelassenen Kind.

II.

Die Auswirkungen des Systems gleichen einem konzentrischen
Angriff, durch den das Subjekt Woyzeck gesprengt und dem
Erdboden gleichgemacht wird. Welche Faktoren wirken auf ihn 25

ein? 1. Armut – 2. entfremdete Arbeit – 3. das Militärregiment – 4. ein Menschenversuch – 5. Ideologie und Indoktrination – und 6. (nach der gespielten Handlung) Strafverfolgung.

1. Armut: Sie ist unausgesetzt gegenwärtig. Einige Fälle, wie sie dramatisch realisiert ist:

In H 4,4 besieht sich Marie nicht in einem Spiegel, sondern in einem ›Stück‹ Spiegel. Und in derselben Szene ist das Kind auf einen Stuhl gebettet, es hat kein Bettchen, keine Wiege.

H 4,17, in der Testamentsszene, sehen wir Woyzeck seine Habseligkeiten verteilen: ›Das Kamisolche Andres, ist nit zur Montur, du kannst's brauche Andres. Das Kreuz is meiner Schwester […]‹. Praktisch nichts. Ein ›Kamisolche‹ = ein Unterhemd ist alles, was er in fünfzehn Jahren Arbeit (er ist dreißig) zusammengebracht hat. Ein armseligeres Testament wird man in der gesamten Literatur nicht auffinden.

Woyzeck verkauft seinen Körper zu medizinischen Experimenten. Dafür nimmt er pro Tag 2 Groschen ein (H 4,8), das sind nach heutigem Kaufwert etwa 7 Mark. Diese Versuche dauern 90 Tage, dann ist er gesundheitlich ruiniert – für 630 Mark! Ein solcher Preis wirft ein Licht auf die Not dessen, der ihn akzeptieren mußte.

2. Arbeit: Mit der Not unzerreißbar verknüpft, ihre logische Folge, ist die entfremdete Arbeit, der Zwang, sich im Dienste anderer lebenslang und restlos zu verausgaben, degradiert zu einem Mittel und geknechtet bis zur Herrschaft über die Körperfunktionen.

Büchner stellt – erstmals in der Geschichte der Tragödie überhaupt – im ›Woyzeck‹ Arbeit als Arbeit dar, als brutales Faktum ›Maloche‹, und als die Grundtatsache von Woyzecks Leben. Woyzeck selbst hat ein Bewußtsein, wie sie sein Leben durch und durch bestimmt und aufzehrt. Als er in H 4,4 auf der Stirn des schlafenden Kindes Schweißperlen bemerkt, seufzt er: ›Alles Arbeit unter der Sonn, sogar Schweiß im Schlaf. Wir arme Leut!‹ Und in H 4,5 befürchtet er, diese Fron werde sich noch im Jenseits fortsetzen, wo er und seinesgleichen dann donnern müßten. […]

Man kann sagen: Dieser Mann wird restlos verwertet … Er führt ein sklavenähnliches Dasein und seine schon reflexartigen Bewegungen und Reaktionen nähern sich dem ›Ideal‹ der Knechtung, dem Roboter oder den Automaten, die nicht umsonst in Büchners Werken eine so große Rolle spielen.

Arbeit als brutales Faktum im Zentrum einer Tragödie hat es vor Büchner, soviel ich weiß, noch nicht gegeben. Ich rede von entfremdeter Arbeit, ›Maloche‹, nicht von einer Arbeit wie Odysseus baut sich ein Floß oder den ›Arbeiten‹ des Herakles oder mythischer Schmiede wie Hephaistos. Das brutale Faktum Arbeit kommt überhaupt in der hohen Literatur kaum vor, und wenn, dann am Rand, sozusagen in Horizontnähe; gewöhnlich wird vorausgesetzt, sie sei – von anderen – abgemacht. Oder sie kommt verschleiert vor, in mythologisch-poetischen Kulissen, wie in der ›Pandora‹ oder im zweiten Teil des ›Faust‹, oder sublimiert, als ›Arbeit des Denkens‹ in Hegels ›Phänomenologie des Geistes‹, und da sogar im Zentrum. Daß die Maloche und überhaupt die Lebensbedingungen der arbeitenden Klassen, von verschwindenden Ausnahmen (wie den ›Wanderjahren‹ und ›Anton Reiser‹) abgesehen, in der hohen Literatur kein Thema sind, ist wie eine ideologische Mauer, die die Voraussetzungen des eigenen privilegierten Daseins von der Bewußtwerdung abhält.

3. Militärregiment: Woyzeck ist ›Füsilier‹, Infanterist. Er steht unter dem Druck der Militärdisziplin und unterliegt der abstumpfenden Routine des Dienstes, dem Exerzieren mechanischer Griffe und Schritte, dem öden Wacheschieben (H 4,13), Antreten zum Appell (H 4,1), vorschriftsmäßigem Salutieren usf. Sein Tagesablauf zwischen Reveille und Zapfenstreich ist durch Vorschriften bis ins Einzelne reglementiert.«

Alfons Glück: Der Woyzeck. Tragödie eines Paupers. In: Georg Büchner 1813–1837. Revolutionär, Dichter, Wissenschaftler. Der Katalog [zur] Ausstellung Mathildenhöhe, Darmstadt, 2. August bis 27. September 1987. Basel / Frankfurt a. M.: Verlag Stroemfeld / Roter Stern, 1987. S. 325–332. – Mit Genehmigung von Alfons Glück, Wetter.

6.5 Heiner Müller, »Die Wunde Woyzeck«

»1

Immer noch rasiert Woyzeck seinen Hauptmann, ißt die verordneten Erbsen, quält mit der Dumpfheit seiner Liebe seine Marie, staatgeworden seine Bevölkerung, umstellt von Gespenstern: Der Jäger Runge ist sein blutiger Bruder, proletarisches Werkzeug der Mörder von Rosa Luxemburg; sein Gefängnis heißt Stalingrad, wo die Ermordete ihm in der Maske der Kriemhild entgegen tritt; ihr

Denkmal steht auf dem Mamaihügel, ihr deutsches Monument,
die Mauer, in Berlin, der Panzerzug der Revolution, zu Politik
geronnen. DEN MUND AN DIE SCHULTER DES SCHUTZMANNES
GEDRÜCKT, DER LEICHTFÜSSIG IHN DAVONFÜHRT, hat Kafka
ihn von der Bühne verschwinden sehn, nach dem Brudermord
MIT MÜHE DIE LETZTE ÜBELKEIT VERBEISSEND. Oder als den
Patienten, dem der Arzt ins Bett gelegt wird, mit der Wunde offen
wie ein Bergwerk, aus der die Würmer züngeln. Goyas Riese war
seine erste Erscheinung, der auf den Bergen sitzend die Stunden
der Herrschaft zählt, Vater der Guerilla.

Auf einem Wandbild in einer Klosterzelle in Parma habe ich
seine abgebrochenen Füße gesehn, riesig in einer arkadischen
Landschaft. Irgendwo schwingt vielleicht auf den Händen sein
Körper sich weiter, von Lachen geschüttelt vielleicht, in eine un-
bekannte Zukunft, die vielleicht seine Kreuzung mit der Maschine
ist, gegen die Schwerkraft getrieben im Rausch der Raketen. Noch
geht er in Afrika seinen Kreuzweg in die Geschichte, die Zeit arbeitet nicht mehr für ihn, auch sein Hunger ist vielleicht kein re-
volutionäres Element mehr, seit er mit Bomben gestillt werden
kann, während die Tambourmajore der Welt den Planeten ver-
wüsten, Schlachtfeld des Tourismus, Piste für den Ernstfall, kein
Blick für das Feuer, das der Armierungssoldat Franz Johann
Christoph Woyzeck beim Steckenschneiden für den Spießruten-
lauf um den Himmel bei Darmstadt fahren sah. Ulrike Meinhof,
Tochter Preußens und spätgeborene Braut eines andern Findlings
der deutschen Literatur, der sich am Wannsee begraben hat, Prot-
agonistin im letzten Drama der bürgerlichen Welt, der bewaffne-
ten WIEDERKEHR DES JUNGEN GENOSSEN AUS DER KALK-
GRUBE, ist seine Schwester mit dem blutigen Halsband der Marie.

2

Ein vielmal vom Theater geschundener Text, der einem Dreiund-
zwanzigjährigen passiert ist, dem die Parzen bei der Geburt die
Augenlider weggeschnitten haben, vom Fieber zersprengt bis in
die Orthografie, eine Struktur wie sie beim Bleigießen entstehen
mag, wenn die Hand mit dem Löffel vor dem Blick in die Zukunft
zittert, blockiert als schlafloser Engel den Eingang zum Paradies,
in dem die Unschuld des Stückeschreibens zu Hause war. Wie
harmlos der Pillenknick der neueren Dramatik, Becketts WAR-
TEN AUF GODOT, vor diesem schnellen Gewitter, das mit der

Geschwindigkeit einer anderen Zeit kommt, Lenz im Gepäck, den erloschenen Blitz aus Livland, Zeit Georg Heyms im utopielosen Raum unter dem Eis der Havel, Konrad Bayers im ausgeweideten Schädel des Vitus Bering, Rolf Dieter Brinkmanns im Rechts- 50
verkehr vor SHAKESPEARES PUB, wie schamlos die Lüge vom POSTHISTOIRE vor der barbarischen Wirklichkeit unserer Vorge-
schichte.

3

DIE WUNDE HEINE beginnt zu vernarben, schief; WOYZECK ist die 55
offene Wunde. Woyzeck lebt, wo der Hund begraben liegt, der Hund heißt Woyzeck. Auf seine Auferstehung warten wir mit Furcht und/oder Hoffnung, daß der Hund als Wolf wiederkehrt. Der Wolf kommt aus dem Süden. Wenn die Sonne im Zenith steht, ist er eins mit unserm Schatten, beginnt, in der Stunde der Weiß- 60
glut, Geschichte. Nicht eh Geschichte passiert ist, lohnt der ge-meinsame Untergang im Frost der Entropie, oder, politisch ver-kürzt, im Atomblitz, der das Ende der Utopien und der Beginn einer Wirklichkeit jenseits des Menschen sein wird.«

Heiner Müller: Die Wunde Woyzeck. In: H. M.: Werke. Bd. 8: Schriften. Hrsg. von Frank Hörnigk. Frankfurt a. M.: Suhrkamp, 2005. S. 281–283. – © Suhrkamp Verlag Frankfurt am Main 2005. Alle Rechte bei und vor-behalten durch Suhrkamp Verlag Berlin.

6.6 Der Spielfilm *Woyzeck* von Werner Herzog

Der Spielfilm *Woyzeck* von Werner Herzog aus dem Jahr 1979 ist die bis heute bekannteste Verfilmung des Woyzeckstoffs. Die Hauptrollen spielten Klaus Kinski als Woyzeck und Eva Mattes als Marie.

Der Film arbeitet mit sehr langen Einstellungen, zumeist mit Totalen. Gegenschnitte fehlen fast vollständig, so dass der Ein-druck eines Theaterspiels entsteht. Die Szenen sind häufig über-gangslos aneinandergereiht.

Abb. 4: Standbild aus dem Film Woyzeck (1979) von Werner Herzog
(Klaus Kinski als Woyzeck, Willy Semmelrogge als Arzt)

7. Literaturhinweise

Zum Werk Büchners

Georg Büchner: Werke und Briefe. Münchner Ausgabe. Hrsg. von Karl Pörnbacher, Hans-Joachim Simm und Gerhard Schaub. München [15]2015.

Zur Biografie Büchners

Hasselbach, Karlheinz: Literaturwissen Georg Büchner. Überarb. Ausg. Stuttgart 2006.

Hauschild, Jan-Christoph: Georg Büchner. Reinbek bei Hamburg 2004.

Seidel, Jürgen: Georg Büchner. München 1998.

Literatur zu *Woyzeck*

Dedner, Burghard [unter Mitarb. von Gerald Funk und Christian Schmidt]: Erläuterungen und Dokumente. Georg Büchner: Woyzeck. Stuttgart 2000.

Elm, Theo: Georg Büchner: Woyzeck. Zum Erlebnishorizont der Vormärzzeit. In: Interpretationen. Dramen des 19. Jahrhunderts. Stuttgart 1997. S. 141–171.

Glück, Alfons: Woyzeck. Ein Mensch als Objekt. In: Interpretationen. Georg Büchner: Dantons Tod, Lenz, Leonce und Lena, Woyzeck. Durchges. Ausg. Stuttgart 2005. S. 179–220.

Wirthwein, Heike: Lektüreschlüssel XL. Georg Büchner: Woyzeck. Stuttgart 2017.

Film

Herzog, Werner (Drehbuch, Regie, Produktion): Woyzeck (1979). Mit Klaus Kinski als Woyzeck, Josef Bierbichler als Tambourmajor und Eva Mattes als Marie.

Der Verlag Philipp Reclam jun. dankt für die Nachdruckgenehmigung den Rechteinhabern, die durch den Textnachweis und einen folgenden Genehmigungs- oder Copyrightvermerk bezeichnet sind. In einigen Fällen waren die Rechteinhaber nicht festzustellen. Hier ist der Verlag bereit, nach Anforderung rechtmäßige Ansprüche abzugelten.

Raum für Notizen

....
....
....
....
....
....
....
....
....
....
....
....
....
....
....
....
....
....
....
....
....
....
....
....
....
....

Raum für Notizen

Raum für Notizen

....
....
....
....
....
....
....
....
....
....
....
....
....
....
....
....
....
....
....
....
....
....
....
....
....
....
....
....

Raum für Notizen

Raum für Notizen

....
....
....
....
....
....
....
....
....
....
....
....
....
....
....
....
....
....
....
....
....
....
....
....
....
....
....